DX時代に考える

シン・インターネット

村井 純
Murai Jun

竹中直純
Takenaka Naozumi

インターナショナル新書 080

まえがき　村井純

何もかもを自分でやらなきゃ気が済まない、というタイプじゃない。仲間や若い人を信頼して、いろいろと一緒にやっていくのもとても得意だと思う。

これまでの自分を振り返ってみると、私は困難にぶち当たることが大好きで、それをどうしたら解決できるかということに夢中になる人生を送ってきた気がする。インターネットの研究に取り組み始めて、それが社会に広がり、必要な技術を作り出していく過程で本当の困難に遭遇し、どうしても自分で解決しなければならない時は、自らの腕力で道を拓いていくこともあった。

一方で、それについて来てくれる仲間や後輩がたくさんいたことは本当に恵まれていたと思う。志を持ち、そのために困難を解決していくことは、ひとりだけではできない。仲間や後輩がしっかりと一緒にやってきてくれたことは、本当にありがたかったと思っている。

そうした中で、竹中直純さんとの出会いは少し変わったところにあった。ＳＦＣ（慶應義塾大学湘南藤沢キャンパス）での出会いやその後の関係は本編の中で記述されている通りだが、彼は私に寄り添い支えてきた研究グループの一員というよりは、少し離れたところで私たちの手が届かない守備範囲をきちんと守ってくれる、ある程度の距離を持った次世代の仲間という存在だった。

インターネットの研究開発は１９８０年代に本格化し、90年代にはしっかりと仕上げの段階となっていた。２０００年に近づくあたりで、社会全体が本格的にインターネットで動くという時代が見えてきた。その頃の印象的な出来事として、１９９９年の小渕恵三政権の後半から日本はＩＴ政策に取り組むことになり、当時、経済企画庁長官を務めていた堺屋太一さんから２００１年の「新千年紀記念行事」として「インターネット博覧会」を開催したいと相談されたことがあげられる。これを境に、私は行政や官邸とインターネットを結びつけるという活動に携わり始め、それが次第に社会全体を動かしていくことにもなった。

私自身は常に、インターネットのインフラ技術やコンピュータサイエンスの基礎技術を発展させるべく、それを担う若い研究者たちを率いて研究を進めてきた。一方で、非常にたくさんの人たちが利用して社会を動かしていくための、大規模で多様なニーズに対応するための技術開発にも、きちんと取り組むようになった。

その時に頼りになったのが90年代に知り合った竹中直純さんだった。例えば、社会全体が新しい取り組みをする時。例えば、坂本龍一さんがご自分の音楽に関してこういうことをやりたいと言ったような時。いつでも本質的にベースとなる技術を理解しつつ、それを楽しんだり、それに夢中になったり、新しいことに挑戦する人たちのコミュニティや仕組みに常に先端的に取り組んできた竹中直純さんとは、私がそこを彼から学びながら一緒に走っていくという関係だったと思う。

私は2020年3月に定年退職をしてSFCの教授という立場は、一旦、区切りをつけた。現在は学部を離れた慶應義塾大学教授として残り、領域の広がった研究と、新しいデジタル社会の構築にも取り組んでいる。

デジタル庁の創造、約20年ぶりのIT基本法（高度情報通信ネットワーク社会形成基本法）の改正にかかわり、これからの社会に少しでも貢献しようと日々奮闘している。その場では、ふと見ると今までいろいろな形で一緒にやってきた若い人たちが、次の世代として重要な役割を担っている。これは日本に限らず世界中で起きていることで、どこへ行っても昔一緒に仕事をした次の世代の人たちがすごい力を持ってやっていて、素晴らしいことだと思う。

私はいろんな人から「村井さんは大きな貢献をしてくれているけど、次の世代の後継者をきちんと決めてないことが問題だ」と怒られることもあるが、実は頼もしいやつがたくさんいる。認識されていないだけだと思うこともある。私たちがこれまで解決してきた困難な問題ばかりが注目され、次の世代が挑戦していることが認識されるのにまだ時間がかかっているだけなのかもしれない。今、次の世代との対話や議論を通じて未来のことを考えるのもとても大切だと思う。

本書は、出会った初期の段階から深い関係で、しかも違う立場でこの世界を一緒に切り開いてきた竹中直純さんと、今まで成し遂げてきたことや、今起こっていることのすべてを議論し、さらけ出してみようという目的で企画された。これがどういう効果を持つか、意味や価値があるものを作れたのかはこの段階では未知数だが、私にとってはバトンタッチのような意味を込めた内容になっている。これが次の世代、その次の世代へと、世代を超えてつながっていくことを期待したい。

このとても大きく広がる未来の世界の中に、誇れるインターネット環境を持つ日本の本当の役割は、それを担うたくさんの若者がいろいろな形で次の世界への貢献を果たしていくことだ。本書がそのひとつのステップになることを願う。

2021年6月

目次

第3章 インターネットは何のために作られたのか？

企画・編集・構成　村上隆保（湘南ＢＢＱクラブ）
撮影　五十嵐和博

第1章　デジタル庁がやるべきこと

「教育」と「医療」のデジタル化を進める

竹中直純（以下、**竹中**）〝日本のインターネットの父〟と呼ばれる村井純さんが内閣官房参与や「デジタル・ガバメント閣僚会議」のワーキンググループの座長になったことで、デジタル庁の初代長官になるんじゃないかという話が出ていましたよね。

村井純（以下、**村井**）誰に頼むべきかというリストの話に出ていたことは聞いているよ。でもね、菅義偉首相が「マイナンバーカードの銀行口座の紐づけ」や「デッドラインをきちんと決めてそれまでにやる」とか、以前から俺が話していたことをしっかりと発言しているんだよ。そうすると、俺はもう必要ないんだ。

竹中　そうなんですか（笑）。

村井　しかも、今や政府のＩＴ政策のリーダーたちは、ＳＦＣの出身が多くて、首相が「みんな先生のお弟子さんですね」って言っていた。彼らもいるから、本当に安心できる部分がある。

竹中　デジタル庁は、２０２１年の9月の発足を目指していますよね。

村井　そう。だから、俺としてはまずはそこまでが勝負だと思っている。２０１１年7月24日の「地上デジタル放送への完全移行」は、我が国の歴史上のものすごいＤＸ（デジタルトランスフォーメーション／デジタル技術によるビジネスモデルの変革）で、各省庁、地方自治体、ボランティアがみんなで力を合わせて、ビル影の電波障害とかいろいろな説明をして、全国民に約10年かけてデジタル放送とそれに対応するテレビに替えてもらったんだけど、あの時と同じくらいのやる気がなかったら、デジタル庁を創ったって上手くいかないよ。

竹中　では、まずはマイナンバーカードの銀行口座の紐づけからですか。

村井　いやいや、その前に役所でしょ。例えば、印紙があるとか、何度も同じ書類を書かせるとか、すべてのサービスがデジタル化されていない。あまりにデジタル化されていなくて、もうどこから手をつけていいかわからないくらい。だって、新型コロナウイルス感染症（COVID-19）対策で「ワークフロムホーム（work from home／在宅勤務）」がいちばんできていなかったのは、霞が関の役所だよ。

竹中　そうですね。

村井　霞が関のデジタル化は国が主導すればできる。だから、最初は霞が関の〝完全デジタル化〟。そうしたら次に、都道府県と基礎自治体（市町村と特別区）をやらないといけない。霞が関だけデジタル化しても意味がないからね。そして、最後は民間なんだけど、民間はもうお願いしてやってもらうしかない。民間までデジタル化できたら、日本全部がデジタル化することになるからね。

竹中　素敵ですね。

村井　そして、俺の提案は「教育」と「医療」だけは徹底してデジタル化してほしいということ。他の産業もたくさんあるけど、「農業もやりたい」「製造業もやりたい」って言い始めたらキリがないから。

竹中　なぜ、教育と医療なんですか？

村井　基礎自治体には、小学校、中学校、高校、そして保健所などがあるよね。それで、なぜ「教育」と「保健所」にこだわっているかというと、これは全部「災害対策」につながるからなんだ。大地震や感染症などの災害が起きた時に命を救うのは基礎自治体。体育館や校庭は避難所になる。そして、保健所は人々の健康を管理する。

竹中　災害時のインフラになるわけですね。もちろん教育がデジタル化することで次世代が自然にデジタル前提で育つってこともあるでしょうし。

村井　そう。これは妄想だけど、さまざまな情報を入手できるように小・中学校には光回線を引いて、５Ｇのアンテナを全部の学校に立てさせる。１００％の学校に。そのために国も、民間も、お父さんもお母さんも、子供たちもみんなで頑張る。アメリカのクリントン政権時代に、お父さんとお母さんが自分の子供たちの学校に行って、ネズミのシッポに糸をつけて屋根裏に逃して反対側にチーズを置いて食べたところを捕まえて、その糸を使ってインターネットのケーブルを引いたという話がある。

竹中 初めて聞きましたよ。そんなふうにしてケーブルを引いていたんですか（笑）。

村井 そうらしい（笑）。1993年のクリントン政権発足後にゴア副大統領が「情報スーパーハイウェイ構想」を打ち出したんだけど、いつの間にか民間が中心になって整備が進んでいった。つまり、インターネットが必要だということで地元の人たちがみんなで力を合わせて「小学校をネットにつなげよう」って盛り上がったの。それで、短期間で全国的に整備された。

竹中 そうだったんですね。村井さんが東京工業大学の大学院でケーブルを埃（ほこり）まみれになりながら通した話は聞いたことありましたが。

村井 だから、日本も短期間に全国の小中学校に光回線を引いて、5Gのアンテナを立てて、10ギガバイト（GB）をつなぐためには、「災害時に必要になる」ということを説明して地元の人たちに協力をお願いするんだ。

竹中 はい。

村井　それで、「スピードテストで10ギガbps出なかったら、小学校失格」みたいなガイドラインを作る。

竹中　10ギガbps出なかったら、校長先生のせいになる（笑）。

村井　「それを3年以内にやってください」って言ったら、みんなすぐに始めて「2年でできちゃいました」みたいなことになると思う。

竹中　学校は必死でやるでしょうね。

村井　そして、大地震などの災害が起こった時には、小中学校の避難所には必ずバッテリーのバックアップシステム（自家発電など）があるようにするとかね。これはお金がかかるかもしれないけれど、それくらいやらないと意味がない。その予算を取るためにデジタル庁が必要なわけ。全国の小中学校が10ギガでつながって、子供たちがコンピュータをバリバリ使うようになったら、10年後、その子供たちは日本を支える力になる。

竹中　絶対になりますね。

村井　それをやったら、菅首相は歴史に残る人になると思うよ。

竹中　日本の将来に投資をした首相ということになりますからね。

村井　今回の新型コロナの拡大で、陽性者の把握など「日本のデジタル対応は20年遅れている」ってさんざん叩かれたんだよ。そのことについて確かに俺は戦犯なのかもしれない。でも、インターネットのインフラに関してはボロくなかったんだ。叩かれたのは行政サービスの部分。そこがおかしいって国民が気づいてくれたから、役所や学校などの機能を直すことに関しては国民の支持が得られると思う。

竹中 そうですね。「教育」と「医療」のデジタル化は、ぜひ、進めてほしいです。

新型コロナウイルス感染症対策

竹中 新型コロナウイルス対策では、台湾がいち早くデジタルソリューションを使って封じ込めに成功しましたよね。

村井 日本でそれができなかった理由のひとつは、基礎自治体のデジタル化が進んでいなかったから。どの地区で何人の陽性者が出たのかを把握するのは保健所の役割でしょ。でも、その報告がＦＡＸだったんだよ。医療機関から保健所へも、保健所から各地方自治体へも。

竹中 いろいろと報道されて、批判されていましたよね。

村井 そして、そのＦＡＸの書類が東京都にドンと送られてきたから、担当部署はパンクしてしまった。だから、オンラインで情報を送ってもらおうとしても、それができる状態ではなかったみたい。それで、仕方なくFAXの受付を30倍くらいに増やして、人海戦術でデータを打ち込んでいたらしいよ。こういうのもデジタル化が進んでいないからだよね。

竹中　そうですね。

村井　くしくも、新型コロナで基礎自治体の脆弱さが明るみに出たんだ。だから、そもそも台湾のように「データを使って、この感染症の拡大を防ぐにはどうすればいいのか」ということを導き出す体制ができていないの。

竹中　その、はるか前の段階ですね。症例のユニークネス（一意性）を保障する仕組みがどこにも存在していないですから。

村井　米政府が失業給付金に600ドル（日本円で約6万2000円）を上乗せして支給すると発表したら、翌日に振り込まれたんだって。それは「ソーシャルセキュリティ（社会保障）番号」と「前年の納税の記録」と「銀行口座」が紐づいていたから。だから、日本でもしマイナンバーと銀行口座が紐づけば、少なくとも給付金を素早く支給することはできる。そして、何人が失業したかもわかる。もし、国民全員がマイナンバーカードを持っていれば、こうしたデジタル化はどんどん加速すると思うんだ。

竹中　加速しますね。

村井　それで、菅首相がやる気になれば、5年で台湾に近い体制はできるんじゃないかな。そうすれば、新しいパンデミックにも対応できるはず。

竹中　というか、やらないといけないと思います。

村井　本当はこういうことをきちんとメディアを通して伝えなければいけないと思うんだけど、今はその時間が取れないんだよ。

行政を信頼できるのか?

竹中　今の日本の閉塞感の一部には、行政や政治家に対する不信感があると思うんです。それは新型コロナの陽性者数をＦＡＸで送って、ダブルカウント（重複計上）されていたみたいな失態があったからですよね。単なる間違いじゃなくて数値統計そのものの軽視が透けて見えてしまった。それを直そうというのがデジタル庁の発足という動きにつながったと僕は思うんです。だから、今、デジタル庁に対する国民の期待は高まっているはずです。

村井　そうだね。

竹中　ただ、ここでデジタル庁が失敗すると、その期待を裏切ったことになるので、行政と政治の信頼がさらに失墜するわけです。そうならないようにするためには、村井さんがメディアに出ていろいろ話すよりも、「まずは『教育』と『医療』から手をつけよう作戦」を具体的に進めていった方が社会にとってはいいと思うんですよ。小中学校や保健所を早くデジタル化する方が重要だと思います。それを菅首相がきちんと理解しているかですよね。

村井　そうね。

竹中　それからマイナンバーについても、日本ではプライバシーの侵害の危険があるとして「すごく怪しいもの」だと思われていますが、考えてみれば〝怪しい〟部分は行政に対する不信感なんですよ。「統計をごまかすような役人がマイナンバーを扱って大丈夫なのか」っていう。ですから、まずはその〝信頼〟をしっかり築かないといけないと思います。

村井　今は、ありがたいことに追い風というか、「やっぱり、マイナンバーと銀行口座が紐づいていると給付金などが素早く支給されるんだ」という意識が浸透しつつあるから、少しは前に進んでいくと思うけどね。

世界でいちばん優しいDX

村井　それから、なぜ、日本の役所でデジタル化が進まなかったかというと「優しいから」という面があったからだと思う。「ついてこれない人がいるから、やめておこう」という考え方をしてしまうんだ。例えば、「キャッシュレス化を進めても、現金じゃないと払えない人がいる」「クレジットカードも上手く使えない。ましてやペイペイ（PayPay）なんてとんでもない。だから、現金決済のままにしておこう」と。「メールだと見られない人がいる。だから、郵便でも送っておこう」というふうにね。日本の行政は〝優しすぎる〟ところがあるんだよ。

竹中　ほめ殺しですか（笑）。

村井　そう。だったら、それを逆手にとって日本は〝もっと優しい国〟になってデジタル化を進めればいい。俺が考えている作戦があるんだけど、地デジの時に〝お助け隊〟がすごく活躍したの。そのお助け隊を地元の大学生にやってもらう。例えば、青森県に住んでいる人がデジタル化で困ったことがあったら、青森の大学に連絡をする。すると、大学の学生のお助け隊が困っている人のところにやってきて、いろいろデジタル化の相談に乗ってくれるんだ。

竹中　面白そうですね。

村井　お助け隊になるには、コンピュータやネットワークの基本、ちょっとしたデータ処理などの研修を受けてもらう。きちんとした資格にする。そして、地方自治体が雇って、普通のアルバイトよりも少し高めの時給を設定する。それで「今日はこのおじいちゃんの家にお助けに行ってください」「今日はこの農家に行って設定を手伝ってあげてください」って、パソコンをつないであげる。そうすると、日本中のパソコンがネットワークにつながるわけだし、日本の大学生のＩＴスキルも上がる。人に教えるということは、自己研鑽になるからね。

竹中　そうですね。自分がわからないことは教えられないですからね。

村井　それで「あ、俺、これ教えられない」ってなると、次に教えられるよう自分から勉強するようになる。

竹中　どんどんＩＴスキルが上がっていく。

村井　すると、数年後に社会に出た時に彼らはコンピュータネットワークと情報処理がわかっているわけだから、日本全体のデジタル化レベルが上がるはずなんだ。

竹中　地方のデジタル化も進みますよね。ただ、ポイントは時給を上げすぎないことじゃないでしょうか。例えば、時給２５００円とかにすると、コンピュータに詳しい人など一部の選ばれた学生のバイトになってしまいます。呼ぶ方もアプリなどの個別の専門的知識を期待してしまうかもしれない。そうじゃなくて、日本のＤＸをお助けするお助け隊は、研修を受ければ誰でもなれるようにしなくてはいけない。時給１５００円くらいがいいんじゃないでしょうかね。

村井　バイト代のさじ加減が難しいね。大学生のお助け隊ができれば、例えば「マイナンバーカードに銀行口座を紐づけられない」とか「マイナンバーカードをスマートフォンに入れられない」という問題が出てきた時にもお助け隊がすぐに解決してくれる。

竹中　世界でいちばん優しいＤＸをした国になりますね。

村井　そう。これは他の国のお手本にもなると思うんだよ。「置いてきぼりを作らない」「人と人が助け合う」「コミュニティで支え合う」というのが日本のデジタル社会が目指すところだと思うんだ。「グーグル（Ｇｏｏｇｌｅ／１９９８年創業）がすごく儲かっている」とか「ベンチャー企業を立ち上げて大金持ちになった」じゃなくて、「みんなで助け合えるデジタル社会」が俺の目標なの。

竹中　わかります。

村井　10年後、20年後にはそうした社会になっていってほしい。お助け隊は、その礎（いしずえ）になると思うんだけどね。

竹中 デジタル化社会の日本モデルですよね。

村井 そう。これ、やれないかなあ。

竹中 ヨーロッパや東南アジア諸国もマネするかもしれないですよ。そのマネを支援すれば国際社会でのデジタル庁の存在感が増しますね。

役所のデジタル化は進むのか？

村井 デジタル化を進めるためには、バックワードコンパチビリティ（後方互換性＝新しい製品が古い製品の機能を内包していること）にいちばん多くのコストがかかるんだよ。〝置いてきぼりになった人〟を支える仕組みを作るコストがいちばん高いわけ。例えば「楽天モバイル」は2020年9月から5Gのサービスを開始したけど、大手3社（NTTドコモ、KDDI、ソフトバンク）は2G、3G、4Gという電話交換機ベースの長い歴史があるから、3Gなどの昔のデバイス（情報端末）を持っている顧客がいる。すると、そうした昔のデバイスを持っている人たちへのサービスも続けていかなければいけない。

竹中 3Gは2022年頃からサービスが終了するようです（auが2022年、ソフトバンクが2024年、ドコモが2026年終了予定)。

村井 だから「0円で最新の携帯電話と機種変更」というのは、昔のデバイスを新しいものに変えてほしいという願いでやっていた。そうしたら、3Gのケアの浮いた分で5Gなどの基地局をたくさん作れるから。だから、後から携帯電話事業に参入してきた楽天モバイルは、バックワードコンパチビリティが少ないぶんコストがかかっていないはずなんだよ。

竹中 じゃあ、役所のデジタル化も5G限定でスタートすれば……。

村井 これまで進んでいなかったぶん安くできると思う。

経産省と総務省

竹中 僕、「デジタル庁」というネーミングはすごく良いと思っているんです。年配の役人には「デジタル」というものの範囲があまりよくわかっていない。だから、自分たちとは関係ない省庁が別にできると思っているはずなんです。これが「情報庁」だったら「すべての情報を扱うのか」って反対されると思うんですよね。

村井 そうだね。「情報通信省」なんて名前だったら、経済産業省と総務省の役人から

「俺たちの仕事を取り上げるのか」って警戒されるかもしれない。俺は「情報通信省を作ってほしい」ってずっと言っていたんだけど、そうすると経産省と総務省の奪い合いになる。「ソウケイ（総経）戦」って言っていたんだけど、経産省の人間は「インターネットって、コンピュータですよね」って言うし、総務省の人間は「インターネットって、コンピュータじゃないですよね。通信ですよね」って言って譲らないから。

竹中　ちなみに、ＩＴ（Information Technology）だと経産省派で、ＩＣＴ（Information and Communication Technology）だと総務省派というのもありますよね。

村井　うん。でも、「デジタル庁」だと「何だかよくわからないけど、新しい庁ができるんだ」「俺たちが困っていることを助けてくれるんだ」って思ってくれそうだよね。

竹中　「デジタル庁」という名前をつけた人は、すごく頭のいい人ですね。

村井　それで、デジタル庁は全部の省庁にまたがるから、独立した形で役所のデジタル化を進められる。

竹中　そうなると、やっぱり村井さんが適任ですよ。

村井　大学（慶應義塾大学環境情報学部）も退任して、「あいつは暇だろう」と思われているからね（笑）。

竹中　大学の授業がないですからね。

村井　ただね、俺はデジタル庁長官には若い人がいいと思っているんだ。だって、インパクトが違うでしょ。若くて、インターネットやコンピュータのことがわかっていて、経験がある人がいい。そうすると庁内がガラッと変わるよ。

竹中　そうですね。

村井　お前やるか。お前が大人の横っツラを技術で殴っていろいろ作るの見てきたからな。

竹中　えー。何でも僕にふるのやめてください（笑）。

村井　とにかく、若くて、行動力があって、経験のある人材をたくさん集めなくちゃいけないと思っている。かき集めるくらいは、俺が手伝える部分があるけどね。

第2章　日本のデジタル化はなぜ進まなかったのか？

新型コロナで見えてきた日本の弱点

竹中　それにしても新型コロナの世界的な拡大で、リモートワークやキャッシュレス決済などが進み、デジタル化が日本でも加速しましたよね。

村井　それは、みんながデジタル化の価値を理解したからだと思う。東京工業大学の「未来社会DESIGN機構（DLab）」が行った面白い研究があってね。ワークショップや東工大の研究者の研究、公的機関、民間企業が出している未来予測などをもとにして、2030年、2040年、2050年などの「未来シナリオ」を2019年くらいから作ってきたんだ。

竹中　へー。

村井　その中の2040年のところは「ほとんどの仕事はオンライン化され、旅をしながら働くことができるようになる」「おうち完結生活」となっている。実は、この2040年の未来のシナリオが、新型コロナ拡大防止のための「ステイホーム」で実現してしまった。これは「デジタル化が20年前倒しで進んだ」と言ってもいいんじゃないのかな。

竹中　確かに家でインターネットを使って仕事をしていて、ズーム（Zoom）などのビデオ会議システムを使って学校の授業や会議をしていますからね。

村井　それをお父さんもお母さんもお子さんも家族全員がやっているんだよ。実は日本のデジタルインフラは、それに耐えられるだけのものだった。これはすごいことだと思うし、やろうと思えばできたんだよ。でも20年はかかると思われていた。

竹中　新型コロナの拡大前は、まさか、こんなに急激にリモートワークが進むとは思っていませんでしたよね。

村井　そして、逆に「今回のリモートワークなどで不満を感じたのは何か」を調べていくと、「電波がつながりにくかった」という声が多かった。これは、インフラの問題ではなくて、マンションなどの集合住宅の中でみんなが電波を奪い合ったからなんだ。それから、Ｗｉ－Ｆｉの２・４ＧＨｚという周波数は乱れやすいということもある。それは２・４ＧＨｚが電子レンジやブルートゥース（Bluetooth）と同じ周波数帯で、ノイズがたくさんあるから。

竹中　お互いが干渉しちゃうんですよね。

村井　Ｗｉ－Ｆｉは２・４ＧＨｚと５ＧＨｚのふたつがあるから、「何かつながりにくいな」と思ったら、５ＧＨｚにつなぐと上手くいくことが多い。

竹中　５ＧＨｚって周波数が高い（波長が短い）んですよね。周波数が高いと届く距離は短くなるけど直進性は高くなる。だから乱れが少ない。２・４ＧＨｚは周波数が低いから届く距離は長い。そのぶん、いろいろなところに回り込めるけれども、隣の家からも飛んできたりする。そうすると干渉しちゃうわけですよね。

村井　だから、２・４ＧＨｚを５ＧＨｚに変えるだけでかなり変わる。それから、そもそも古いＷｉ－Ｆｉを使っているとかね。

竹中　マンションを建てた時に設置した10年以上前のルーター（通信機器）を使っていたりするところも多いみたいです。

村井　日本は２０００年のＩＴ構想（２０００年にＩＴ基本法が制定）の時に頑張ったので、そのままにしている集合住宅もあるみたい。あの時はＶＤＳＬ（Very high bit rate Digital Subscriber Line）方式といって屋内の電話線を再利用してインターネットをつなげていた。だから、今、ＮＴＴなどが「速度が速い光回線に替えませんか」と説明しているけれども、マンションのオーナーや管理組合などの許可がないと替えることができないんだ。

竹中　勝手にできないということですね。

村井　でも、マンションなどでは勝手にひとりだけ光回線に替える人もいるんだよ。そうすると次に光回線を引きたいという人が出てきた時に……。

竹中　管路が足りなくなる。

村井　そう。だから、マンション全体で計画的に替えないといけない。回線などのインフラはだいたい15年くらい経ったら取り替えた方がいいんだけど、まだ替えていないところも多いんだよね。

竹中　しかも、２０２０年は新型コロナの影響で、自宅で仕事をする人が増えてしまって……。

村井　そう。それで自宅で仕事をするスペースがないお父さんが、カラオケボックスに行って仕事をしていたりする。

竹中　最近は、駅に電話ボックスみたいなカプセル型のシェアオフィス「ステーションワーク（STATION WORK）」「ココデスク（CocoDesk）」ができましたよ。溜池山王駅（東京メトロ）の通路に唐突に置いてあってびっくりしました。

村井　経堂駅（小田急電鉄）構内にも「テレキューブ（TELECUBE）」っていう電話ボックスみたいな個人用の仕事場があるよ。あと、レンタカーを借りる人もいるんだって。返す時の走行距離がほぼゼロ。乗って走らないで、クルマの中で1日中仕事をして家に帰ってくる。カラオケボックスとあまり料金が変わらないみたいだよ。

竹中　ワークスタイルがだんだん変わってきていますよね。

村井　だから、モデルハウスなんかも変わってきているよね。狭いけれども、旦那さんと奥さんのワークスペースが付いているものが多くなった。付いていないモデルハウスはあまり人気がないんだって。

竹中　それは、新型コロナが長期化するという前提なんでしょうね。

村井　また、別の感染症が出てくるかもしれないしね。賃貸だったらワークスペースのある家に引っ越すだろうし、リモートワーク環境が充実している街に引っ越すという考え方もある。

竹中　建築家の視点からだと、このような小間（こま）が増えてコミュニケーションが断絶しやすい構造が居住者の幸福に寄与するのかということがとても気になっているそうです。正解は簡単に出そうにないですが、とにかく今、急速にデジタル化が進んでいるということでしょうね。

村井　通勤のための交通費を在宅勤務手当に変える企業も出てきているけど、在宅勤務手当は収入になるから、そのぶん税金を多く払わなくてはいけなくなる。そうなると在宅勤務がしやすいように法的にバックアップする必要があるよね。

竹中　所得税などの税制を考え直す必要がありますよね。願わくば建て増し方式をやめて根本的に。そういう政治家が出てくるといいんですけど……。

ビデオ会議システムの普及

竹中　リモートワークでは、ビデオ会議システムのＺｏｏｍ（ズーム）が普及しましたね。

村井　そう。そして、ズームもシスコ・ウェブエックス・ミーティングス（Cisco Webex Meetings）もマイクロソフト・チームズ（Microsoft Teams）もどんどん良くなっている。一方で、例えばビデオ会議を続けていると音質がだんだん悪くなったりするんだけど、その原因がわからない。

竹中　コンピュータが悪いのか、ネットワークが悪いのか。

村井　だから、会議をしているみんなが「どうしたんだろう?」って考えるわけ。そうすると使っているみんなのリテラシー（理解力）が上がるんだよ。ミュート（消音）の使い方なんか典型的だよね。俺もＺｏｏｍ会議に出ることが多いんだけど、慣れない時はミュートのましゃべっていたりした。そして、そのミュートを外すのに最初の頃は1分くらいかかっていたのが、今はみんなすぐできている。そのうちバーチャル背景なんかにも凝り出したりしてね。

竹中　個人的にはミュート、アンミュートのショートカットキーがそれぞれ違っているのを統一してほしいです（笑）。とはいえ、今はビデオ会議といえば、Ｚｏｏｍで標準化されつつありますね。

村井　ブルージーンズ（Blue Jeans）は、音声がすごく良かったんだよ。ドルビーラボラトリーズ社の音声技術を採用していたから。

竹中　そうなんですね。

村井　でも、今はＺｏｏｍで揃ってきているよね。俺、世界中のネットワークの担当者とＺｏｏｍで会議をやっているんだけど、こっそりスクリーンショットを撮って大学のロゴとか担当者の名前とかを貼り付けていたんだよ。すごく苦労したから。

竹中　どういうことですか？

村井　Ｚｏｏｍで会議をやっていると担当者の顔と所属を一致させるのが、すごく大変だったわけ。それで、ホテルのフロントの人とかが、事前に「本日、来るお客さんは、この人が○○さんです」みたいに顔写真を見ながらブリーフィングをやるのと一緒で、「この人はハワイ大学の○○教授」「この人はオーストラリアの……」って確認できると楽なんだ。

しかも、「俺、次回の会議に出られないから、代わりに出ておいて」みたいな時に、その資料を見せればいいからね。

竹中　今はバーチャル背景に自分の所属がわかる画像を使っている人もいますよね。

村井　ＱＲコードが大きく出ていて、それを読み取ると名刺の情報がわかるというのもある。ビデオ会議システムの普及で、仕事の形がだいぶ変わってきているよね。

新型コロナによってデジタル化が20年進んだ

竹中　東工大の「未来シナリオ」で２０４０年に実現するであろうと予測された「おうち完結生活」が20年も早く実現されましたが、これは人間の理解が進んだ結果ですよね。これまではテクノロジーばかりがバージョンアップしていたけれども、人間側がバージョンアップすることで、現状のインターネットでもできることがすごく広がった。「新型コロナのおかげ」というのも変ですが。

村井　もしかしたら、それは俺たち技術先導者がいけなかった面もあるのかもしれない。１９９０年代の中盤によく言われていたことなんだけど、「日本のＩＴ政策は、いいハイウェイはできたけれども、走るクルマがあんまりいない」と。

竹中　いいインフラはできたけれど、インターネットを利活用できていないということですね。

村井　そう。それが今回はたくさんのクルマがハイウェイを走っていた。だから「いいインフラを作っておいて良かったね」という反面、これまでクルマを走らせることができなかったことを反省しないといけない。各家庭から家族のみんながＺｏｏｍのような双方向のビデオ信号を交換するビデオ会議を行っても上手く動いたということは、光ファイバーがそれだけ浸透しているという証拠でもあるけれど、逆にいえば今までいかにムダな待機が多かったかということでもある。

竹中　でも、それはムダじゃないですよね。

村井　そう。インターネットの設計は、とにかく太い線であることが第一だからね。「制限がない状態で何ができるのか」ということで作っているから。ただ、例えば国の研究機関のインターネットは1日１００ＧＢ使えるのに、月平均で1日1ＧＢも使ってないと「このインターネットは、全然使ってないのに何でこんなに予算がいるの？　使っていないなら予算をカットしよう」ということになる。だけど、そうじゃないんだ。大学などには普通の１００倍や１０００倍の容量のインターネットをつないでおいてほしい。そうすれば、いろんな使い道を研究としてやれるから。平均で評価しちゃいけない。

竹中　そうなんです。まずは、その考え方を変えなければダメなんです。僕は「河川の監視システムを考えてくれないか」って頼まれたことがあるんですけど、普段の河川の状態をカメラで映していてもほとんどの人は見ない。興味がないんです。でも、大雨などで増水し始めると相当数のアクセスがある。増水時には一気にトラフィックが集まります。仮に回線容量がオーバーして映像で見られなかった人が「しょうがないなぁ、現場に見に行くか」ってなってしまったら命のリスクに直結してしまう。そのリスクを防ぐための回線容量なんです。こうして災害時のことを説明するとわかってくれる人が多いんですが、災害時以外のことだとあまり理解されない。公共サービスなどで余裕を持った回線にしていると、村井さんが言っているように削られる対象になる。10年後に必要になるかもしれない100倍のトラフィックのための予算なんか、なかなか認めてもらえない。この意識を変えていくことが〝未来のインターネット〟につながっていくと思います。

集合住宅にデータセンターを作れ

村井　今回の新型コロナによるアクセスの集中で、日本のインフラはよく持った方なんだよ。海外では回線がパンクしたという報告があったけど、日本ではほとんどなかったからね。

竹中　2020年4月頃にネットフリックス（Netflix）やスポティファイ（Spotify）がつながりにくくなった時期があったんです。でも、翌週にはすっかり直っていた。何が問題かわかっていて直している人がいるんだなと感心しました。これは根本的な問題ではなくて末端の部分で目詰まりすることで生じる問題なんですが、新型コロナみたいなことがあると、それが少しずつ修復されていくんですよね。

村井　研究としてトラフィック分析をすると、どのサービスがどれくらいのトラフィック量があるかということがわかってくる。それはビデオ配信などのCDN（Content Delivery Network／アクセス元からいちばん近い距離にあるサーバに自動的にアクセスすることでコンテンツを高速でダウンロードできる）のサーバをどこに配置すると効率的かということを年中調べているからなんだよ。

竹中　ただ、まだ十分ではないですよね。

村井　そう。今回は耐えられたとしても、求められるサービスのクオリティが上がってくるから、インフラとしてここまでで大丈夫ということが言えない。今回の新型コロナで、現状でどこにアクセスが集中するかということはわかったけれども、例えば、今後バーチャルリアリティのように三次元の空間で見るサービスが増えてくるとどうなるかわからない。

竹中　そうですね。計算量と帯域両面でリソースを食いますからね。

村井　2020年にSFCで「オンライン七夕祭」というのをやったんだ。そのオンライン空間での祭りに参加すると自分のアバターがキャンパスを歩き回ったり、いつもの教室で授業に参加するみたいなことができるんだけど、自分の動きに合わせて三次元のモデルを動かすためにものすごい量の計算がリアルタイムで必要になってくる。「七夕祭」の場合はあらかじめ計算していたからできたけど、リアルタイム映像などを使った三次元モデルのサービスが増えてくるとアクセス元で計算して戻さないといけない。そういう需要は今後増えるだろうから、エッジコンピューティング（ネットワークの端末機器で情報処理をしたり、ネットワークにサーバを分散配置して情報処理を行う）が流行ってくるかもしれないね。ただ、これはまだインターネットのインフラとして経験していないことなんだよね。

竹中　例えば、街の中に大きめのコンピュータがあって、そこで情報処理して端末で見るとか、それこそ集合住宅のパイプスペースにデータ（計算）センターを作るということも流行るかもしれませんね。

村井　ゲームなどですごくキレイな画像を三次元で加工して戻すみたいな話になると、大手町のデータセンターまで行って計算して戻ってくるという暇がないということにもなりかねない。例えば８Ｋの映像とかね。

竹中　８Ｋの映像って48ギガｂｐｓくらい使うんですよね。圧縮しなければ。

村井　だから、１００ギガｂｐｓくらいのポテンシャルの通信速度が必要になってくる。まあ、圧縮すれば６メガｂｐｓくらいに下げられるんだけど、そのためにはものすごい計算をすることになる。

竹中　今は10秒分の映像を圧縮するのに1分くらいかかったり。

村井　そして、こうした高解像度の映像を使うと分子構造レベルのことまでわかるから「このイチゴは甘いかどうか」とか「顔色を見るだけで皮膚病かどうか」が判断できるようになる。

竹中　今、野菜などの農産物全般で実用化されて使われていますよね。光をあてて光センサーで反射してきた分子構造を見ると「その作物が今、どんな状態にあるか」がわかったりします。甘いミカンなのか、酸っぱいミカンなのかとか。

村井　「甘いミカンがどれか」ということがわかると、ミカン畑から穫ってきたミカンをベルトコンベアーか何かでダーッと流して、甘いミカンだけ選んでブランド名をつければ、有名デパートの地下売場とかで1個1000円とかで売れるかもしれない。農業革命が起こるよね。だから「その時のデータ量と、どこで誰が情報処理をするのか」ということが今後ポイントになってくる。すると「そのへんにあるコンピュータを全部つなげて、そこで処理させよう」ということになっていくかもしれない。

竹中　ネットワーク上での分散処理コストが、どんどん安くなってますからね。

村井　そういう技術がいろいろなところで役立ってくると思うんだよね。例えば、医療技術とか。新型コロナウイルスだって、PCR検査の他にセンサーでもわかるようになるかもしれない。飛沫が飛んでいるのを検知するセンサーができるかもしれない。

竹中　実際、瞳孔周りのピンク色の部分を解析することで新型コロナの罹患を95％の精度で判定するようなシステムが報道されていました。これも解像度や色のセンサー精度を上げるだけ上げて機械学習を使って莫大な演算量をこなして実現できるものです。

村井　そう。ものすごい量のデータになると思うけどね。

大量のデータをどう記録するか

村井　もうひとつは、そのデータを記録しておくこと。「エターナルプリザベーション（eternal preservation／永久保存）」だよね。例えば、この部屋で起きたことをすべてデータで取っておいて、部屋の位置と紐づけておく。すると、後で何かが起こった時に「飛沫の量と動き」が検証できるし、もし、１００年後の歴史学者が調べにきた時に「この部屋で我々がどういう声で何を話していたか。それがどういう意味を持っていたのか」がわかる。すべてを記録しておくと、それは「タイムマシンでこの部屋に戻ってくる」ことと同じになるわけ。

竹中　そうですね。ただ「そうした膨大な量のデータをどこに保存しておくのか」という問題は今の技術では解決されていませんよね。

村井　それで、データを永久保存する方法にはどんなものがあるのかということで、いろいろと議論になったんだ。まず「たまっていったデータは古い順に並べていって、古いデータは遠くに置いておけばいいいんじゃないか。逆に新しいものはよく使うだろうからアクセスしやすい近い場所に置いておこう」と。そして「古いデータは時間がかかるけれども圧縮して、最終的にどうするかというとロケットで打ち上げて地球の周りをグルグル回らせておけばいいんじゃないか」とか「月に置くのもありだ」とか、半分ジョークみたいな意見も出た。

竹中　でも、膨大なデータを永久に保存する場所となると宇宙まで視野に入れておかないといけないでしょうね。

村井　うん。それで、何かあった時のために、データはコピーして取っておきたいわけでしょ。すると、今はDNAに書き込むという技術ができている。DNAは細胞分裂するとコピーができる。だから、デジタルデータの内容をすべてDNAに書き込んで保存するのがいいんじゃないかという話にもなった。

竹中　DNAに書き込む技術は、実用化が近いですもんね。1立方ミリメートルで1エクサバイト（EB/1EB＝100京バイト＝10億GB）くらいの容量が期待されているみたいですよ。

村井　だけど、DNAに書き込む機械がめちゃくちゃ高い。それが近所のコンビニでも売られているくらいの値段になったら、すべてのデータを永久保存できるんじゃないかと思っているんだけどね。

データと災害対策

村井　今回の新型コロナウイルス感染症で、繁華街の人の流れなどを分析したデータが出ていて話題になったよね。

竹中　「休日に歌舞伎町には何人いました」みたいなやつですね。

村井　あれは、携帯電話の情報を基にしているんだけど、犯罪捜査やシミュレーションなどに使いたいから契約の時に生年月日や性別、住所などを記入してもらうようになっているわけ。それで、アプリを入れなくても定期的に基地局に信号が伝わっていて位置情報がわかるようになっている。だから、休日の歌舞伎町の人出がわかるんだよ。

竹中　毎日、国勢調査しているみたいなデータですよね。

村井　うん。で、このデータは「この人は、どこの町のどの家から何時に出てきて、どのビルに入って仕事をして、ランチはどこに行って、帰りにどこの居酒屋さんに寄ったか」ということが全部トラッキング（追跡・分析）できる。そして、すべてのデータを映像にすると「埼玉県や千葉県から東京都に移動してきて、都内でバラバラに散っていく」んだけれども、例えば午後2時のタイミングで大地震が起こったらどうなるかをシミュレーションしたんだよ。すると、みんな家に帰っていくけれども、例えば「世田谷区あたりで多くの人が動けなくなる」みたいなこともわかるわけ。これを災害対策に上手く使えれば、被害もおさえられるはずなんだよね。

竹中　そうですね。首都直下地震の発生確率は「今後30年間で70％」といわれていますから、今後必須の技術になるはずです。

村井　一方で、このデータを合法化するための根拠として「国勢調査のアノニマイズ（匿名化）規則」を活用する専門家も出てくる。

竹中　たしかに。

村井　国勢調査のアノニマイズっていうのはどういうことかというと、地域をメッシュのように区切って統計を取るよね。例えば、4平方キロメートルの中に人が何人いるとか。それで、4平方キロメートルの中に100人以下だったら、そのデータは使わないとか決めるわけ。つまり、個人個人のデータはその時点で消えるけど集団としてのデータは残る。すると、面白いことがわかるんだよ。例えば、コミュニティバスが通っている路線があるけれども、人がいる場所と全然、違うところを走っているとかがわかるわけ。今、バスを使わないで買い物に行っている人がこれだけいるから、こっちを走らせた方が効率的だよねということもあからさまにわかってくる。

竹中　今のシステムにどれだけムダがあるかということがわかってくるわけですね。

村井　そう。ものすごく役に立つデータなんだよ。完璧に近い予想ができるから。ただ、その1日のデータだけでも膨大なわけ。だから、このデータをすべて保存しておくことなんて今は無理。だって、すべて取っておいたらタイムマシンができちゃうわけだから。

竹中　社会的タイムマシンですね（笑）。

村井　その宝物のようなデータを取っておく場所がないということが大問題なんだよ。つまり、役に立つデータはたくさんあるけれども保存しておく場所がない。使う方法もない。今、この時点でふたりが話をしているこの部屋の中にもデジタルデータとして役に立ちそうなものがたくさんあるのに実際に使えるのはほんのひと握り。そういう意味で未来への課題はたくさんあるし、人類はこれから大変なプロセスを歩んでいかなければいけない。

大学は10年後のことを考えて研究をする

竹中　データの処理能力もそうですし、ストレージもそうですけれども、もし、現在の10万倍くらいの処理能力があれば、個人が宝物のデータを使える社会がやってくると思うんです。シリコンの発達でいうと「ムーアの法則」ってありますよね。「集積回路（IC）上のトランジスタ数は18～24カ月ごとに倍になる」というやつです。
例えば、ムーアの法則のように進んだとしても10万倍のオーダーを達成するためには25、26年かかる。その間に僕らは社会のＤＸをどうするか。これはもう国をあげて考えていかなくてはいけない。新型コロナウイルス感染症で、個人的なデジタルに対するリテラシーは高まったかもしれないけれども、今度はそれを社会的なリテラシーとして考えなければいけない時期が来ていると思います。

村井　そうだね。

竹中　今、学問の世界では大量のデータをどう扱うかということが注目されていて、それがデータアナリティクス（データによる統計分析）の基本になっています。データアナリティクスには数学の知識、統計の知識、コンピュータの技術などが必要で、そういう人材を今、世界は必死になって育てています。例えば「大量の生データを次元変換して効率よくスパースモデリング（少ない情報から全体像を把握）する」みたいな技術です。しかし、さっき出てきたようにコンピュータの速度が10万倍になった頃、25年後には大量の生データを専門的な知識がなくても個人で分析・利用する時代になっていると思います。

村井　それにしても、これからはデータ量がどんどん多くなってくるはずだから、ものすごく速く、そして安く計算できないといけないんだ。幸いなことに、デジタルテクノロジーの値段はものすごいスピードで下がっている。今、俺が使っているパソコンは10年前だったら何億円もする性能のものだけど、それが今は10万円くらいで売っているんだから。30年前だったら、国家予算でも買えなかったんじゃないかな。

そういう意味でいうと、今後、例えば8Kカメラが10万円のデバイスに付いて、それが1000万台売れるようになれば値段がもっと安くなる。デジタルテクノロジーは、最初は1億円のデバイスかもしれないけれど、3年後には1000円になっているという世界だから。

竹中 今はまだ8K、16Kと発達中ですが64Kカメラが必要かを考えると、人間の視覚能力を超えているので、それ以上のスペックがいらなくなる時が必ず来て、コモディティ化(市場参入時には高付加価値が付いていた商品が普及して、一般化すること)しますね。

村井 だから、コンピュータサイエンスの研究は「今はお金がたくさんかかるかもしれないけれど、10年後にはこれが安くなってみんなの役に立つんだ」と思わないといいものが作れない。インターネットの初期の頃は「通信の技術」と「コンピュータの技術」というふたつの技術があって、通信系の技術は「データ量をできるだけ小さくして送った方が効率的だよね」って考えていた。それは確かにそうなんだ。でも、俺は「データ量をケチらないでドーンと送っちゃえ！」って考えていた。学生たちに「いつの日か『インターネットはどんな大きなデータを送っても大丈夫だ』という未来になる、と考えて研究をしろ」って言っていた。すると「通信路の広がりは頭打ちになるから節約して送ろう」と言っていた研究は２、３年はその節約が役立つけれども、４年目くらいから「あれ？」ってことになる。インフラが発達して節約しなくても送れるようになったからね。通信量節約は必要なくなっちゃう。それが今、起こっていることなんだ。

竹中　わかりやすいのは動画サービスの圧縮ですよね。今回の新型コロナウイルス感染蔓延初期には、回線が混み合った結果、映像がガタガタになっていたりしましたから、かつてないくらい圧縮を意識させられてしまった。これは過渡的な状態であるということですね。

村井　だから、節約しようなんて考えないでやっていれば、リソース（動作に必要な処理システムなど）の方がついてくる。今後、何万倍、何億倍のデータが出てきたとしても、それを支える技術がどこかで出てくるはずなんだよ。だって、１９９５年にＧＰＳ（全地球測位システム）の実験をした時、ＧＰＳ１個の値段は約35万円だったんだよ。それを１５００台のタクシーに取り付けたんだから、今から考えればバカみたいな話だろ。

竹中　どれくらいの大きさでした？

村井　大きな弁当箱2個分くらいかな。それが今は小さなスマートフォンの中に入っているからね。

竹中　この10年くらいの間でもGPSレシーバチップの大きさはどんどん小さくなってきましたね。わかりやすいのはスマートウォッチかな。スマートウォッチの初期にはGPS内蔵が難しかったのが今やどんなスマートウォッチでも当たり前にGPS内蔵になっている。

DNAに記録する時代がやってくる

竹中　多くのデータを永久保存するためには、やはり月や火星も考えておかなければいけないでしょうね。

村井　今後、IoT（Internet of Things／通信機器だけでなく、さまざまなモノがインターネットに接続）が進むと、いろいろなところからデータがどんどん送られてくるわけでしょ。例えば、街のいたるところにある監視カメラからも次々と大量のデータが送られてくる。こうしたデータをすべて取っておくのかというと、それは無理な気がする。本当に必要なデータだけ分類して、ちゃんと識別できるようにして取っておかなければダメだろうね。
じゃあ、取っておく技術はどんなものができるのか。デジタルの数値で記憶させて保存する方法を考えなければいけないんだけれども、さっき話に出たＤＮＡストレージは、結構、面白いと思う。ＤＮＡに自動的に書き込みができればいいんだよ。

竹中　「file2DNA」みたいなコマンドにしちゃえばいい。

村井　そう。「このデータはＤＮＡに入れとくか」みたいにね。この話を学生にしたら「先生、データを生物に書くって、何かデータが臭くなりませんか？」って言われたけど、そんなことはないと思う（笑）。

竹中　そうですね（笑）。

村井　今、ＤＮＡ以上のコンセプトは俺には思いつかない。ＤＮＡはかなり究極的な生命のデジタル情報のストレージだからね。例えば、人間の体に記録しておけばいいんだよ。それで、ヒゲを剃ればどんどんコピーができるわけだから、それを取っておくこともできる。

竹中　ヒゲをとっとくのは嫌ですね（笑）。でも、ＤＮＡがプロダクトになれば、概念が変わるかもしれないですね。

村井　最初はミミズくらいから始めて、犬とか猫とか、最終的に人間にすれば、かなりのデータの扱い方を決められるんじゃないかな。

竹中　倫理的な問題は別として、そのうちストレージ用の生物が作られるんじゃないですかね。

村井　そして、その生物を養殖する。

竹中　ＤＮＡは単体の場合、低温下で乾燥しているなどの状態であれば１００万年くらい保存がきくといわれています。今の人類にとって１００万年って永久保存のようなものですよね。ただ、「そのデータを１００万年保存する必要があるのか」というとまた別の問題になりますし、もっと長い期間、例えば「１億年先まで保存したい」ということになれば、タンパク質ではないものになりますよね。

村井　まあ、そうなるね。

竹中　もっというと、量子力学やスーパーストリング理論（超ひも理論）の研究者たちは、「タイムマシンみたいに時間を巻き戻すだけで、もう一度、この世界を再現できるかもしれない」と言っているんです。そうすると「メモリなんていらないじゃん」ということになるかもしれない。

村井　量子、宇宙、光のような物理学には、そういうもののヒントが隠されていて、今後、どんどん解明されていくかもしれないね。

竹中　ＧＰＳも相対性理論の実装ですよね。時間のズレを使って位置情報を得ているわけですから。時間のズレは、一般相対性理論で「重力や物理的位置が異なる時に時間が異なる」という物理学者アルベルト・アインシュタイン（１８７９〜１９５５年）が約１００年前に発表した理論が本当だったということですからね。

「相対性理論」というバンドの「やくしまるえつこ」というボーカルの人が、「わたしは人類」という作品の中でやったのが今まで話していたことと近くて、どういうものかというと、特殊な細菌のＤＮＡにその曲、バンドなので曲なんですが、その楽曲情報を入れて、その細菌をシャーレの中で培養するというインスタレーションなんです。「もし人類が滅びたとしてもその細菌が増殖してどこかで生き残っている限りその曲は生き延び続ける。仮にそのＤＮＡが変異しても、それはその作品の一部として認める」という壮大な作品です。確か２０１７年の「アルス・エレクトロニカ（世界最大の国際科学芸術賞）」でグランプリを受賞しています。この作品の展示や移動にはＤＮＡをいじった「未知の生物」を取り扱うわけですから、日本の場合、厚生労働省の許諾を得なければいけないみたいな厳密な管理が必要で、結構大変なのが現状です。ストレージとしてDNAが使えるようになるには、そのような生物が変異しても人類や他の生物や環境に害を及ぼさないという科学的保証や、または遺伝と関係ないエリアを染色体上に確保するなどのブレイクスルーが必要となるでしょうね。

量子コンピュータで暗号が破られる？

村井　量子コンピュータ（量子力学的な現象を用いて劇的に計算速度を上昇させたコンピュータ）とインターネットとの関係でいちばん怖いのは、計算が速くなって公開鍵暗号が破られることだよね。今、インターネットで使われている暗号が破られるとインターネットは使いものにならなくなるから。

竹中　セキュリティ上の脅威ですよね。今の量子コンピュータは量子アニーリングという技術を使って、デジタルコンピュータでいう1ビットにあたる計算単位を実現しているのですが、最新のもので56ビット分を制御できる。これが何年かすると、1024ビット、2048ビットまで行けるのは確実です。単純にRSA暗号（素因数分解にかかる時間を利用した暗号）強度での1024ビット、2048ビットとは同じではないにしても、そこまで発達した量子コンピュータがあっという間に最高強度の公開鍵暗号を解く時代はもうすぐそこまできていますね。

村井　「Xデーが迫っている」みたいに言われることがあるよね。でも、量子暗号が共有できる量子インターネットができると途中で誰かがアクセスしたらわかるようになるわけ。「今日、僕が渡すデータは誰にも見られていないよ」ということが保証される。ということは、公開鍵を使わなくても秘密鍵を使えばいい。秘密鍵はいくらでも難しくできるから、それを量子計算で探し出すことはできないよね。

竹中　秘密鍵はそもそも計算不可能ですから。

村井　それで、順番からいくと量子コンピュータがRSA暗号の世界を壊すよりも、量子インターネットの方が先にできるだろうということで、俺らはまあ楽観視しているんだよね。

竹中　つまり、回避策はいろいろと考えられていて、僕らの次世代の人が今のSSL、TLS（通信データを暗号化する技術）に準じるものを量子耐性付きで開発してくれると、いくら量子コンピューテングが発達してもアマゾン（Amazon.com）やヨドバシ・ドット・コムで買い物ができると（笑）。

村井　量子は基本的にデジタルじゃないからね。我々が使っていくデジタルテクノロジーが侵される可能性は、すごく少ないと思う。

10年後の日本

竹中　村井さんは、10年後はどんな世界になっていると思いますか。

村井　インターネットは、これまでは経済を回すために貢献してきた部分が多いと思う。日本はＩＴ戦略（２０００年に「ＩＴ基本法」を制定）を20年やってきて、今、次の20年をどうするかという話になっているよね。そして、ＷＷＷ（World Wide Web／ワールドワイドウェブ）もスタートしてから約30年経った。アーパネット（ARPANET）も約50年。だから、何となく節目の年、折り返し地点にいるのかなという気がする。そこで「さあ、次は何をする？」ということを考えた時、今度は経済から「人間のためになる」とか「人の命を救う」ということに意識が向くんじゃないかな。もうひとつ。「インターネットインクルージョン（すべての場所、すべての人がインターネットを使えるようになる）」という課題が残っている。まだ、インターネットを使えるのは世界全体だと70％くらいなのかな。

竹中　アフリカをどうするかですね。

村井　それも10年経つと解決していると思うんだ。実は２０２０年にソーラーパネル搭載の通信用無人航空機が成層圏を飛んだし、低軌道衛星の打ち上げもどんどん進んでいるんだよ。そして、大事なことは「成層圏の距離ならばスマートフォンなどのデバイスで直接話せる」ということ。

竹中　成層圏っていうと高度20キロメートルくらいですか。

村井　そう。ＩＴＵ（国際電気通信連合）が、２０００年に成層圏に携帯電話やインターネットの基地局を置いてもいいというルールを作ったんだ。基地局なので今のままで通話ができる。

竹中　新しいデバイスを開発しなくてもいい。

村井　これが上手くいけば、山で遭難した時など携帯電話がつながらない場所でも、この航空機を飛ばせば携帯電話がつながるようになる。

竹中　なるほど。

村井　そうすると、低軌道衛星のサービスも含めて、本当のインターネットインクルージョンがあと10年以内には達成できるのではないかと思うんだ。この航空機があれば、海の中で少し潜っているものでも空から電波を取れるからね。問題はソーラーで動いているから夜間をどうするか。もう少し性能が良くなれば、昼間にチャージしておくことができるかもしれないけどね。

竹中　それも、すぐ解決するでしょう。

村井　あとは、成層圏の法整備を今から各国に呼びかけないといけない。航空法と宇宙法はあるけれども、成層圏にはまだ法律がないんだよ。

竹中　グローバルな視点に拠って立てば、日本のデジタル庁が各国に呼びかけることができる部分ですよね。というか、呼びかけるべきですね。

村井　そう。こういったデジタルテクノロジーやインターネットのインフラは、地球全体に対して〝人のために何をするのか〟ということなんだよ。その視点がないといけない。だから、インターネットはこれまで経済のためにやってきたけれど、今後は「人間のために」「人の命を守るために」あるいは「地球のために」使われていく方向に進んでほしいよね。

村井(左)デジタル庁長官には若い人がいい。お前やるか。
竹中(右)えー。何でも僕にふるのやめてください(笑)。

第3章　インターネットは何のために作られたのか？

インターネットを生み出した人の気持ち

竹中　今、インターネットは人間の生活には欠かせない技術になっています。でも、良い面ばかりではありませんよね。SNSによる誹謗中傷などで命を落とす人も出てきました。そこで「インターネットを作った人たちは、何を考えて作ったのか」「現在の状況を予測していたのか」などを改めて伺いたいんです。

村井　う〜ん、「インターネットを作った人の気持ち」というのは難しいな。「作った」というのは、どの時点のことをいうのかがハッキリしていないからね。ただ、よくいわれている「インターネットは軍事技術の転用である」というのは、まったくの間違い。誤解が生じたのは、アメリカのARPA（アーパ／Advanced Research Projects Agency＝高等研究計画局）、現DARPA（ダーパ／Defense Advanced Research Projects Agency＝国防総省高等研究計画局）が「コンピュータどうしのデジタル通信をどうするか」という研究に資金を出していたからだと思う。

アメリカの教育省や国立科学財団（National Science Foundation）は、技術的な見通しが立っている研究に資金を提供する。これは当然のことだよね。でも、ARPAはまだ技術的な見通しが立っていない研究にも資金を提供していた。例えば、ロボット技術やAI（人工知能）など、当時はまだどうなるかわからない研究にも援助をしていた。そして、その研究は一般公募した中からも選ばれていたんだよ。デジタル通信もそのひとつ。だから、国防総省からデジタル通信に関する研究資金が出ていたのは事実だけれども、軍事技術として研究されていたものではない。

竹中　途中のノード（拠点）が脱落しても迂回して何とか通信を続ける経路制御技術などはいかにも軍用だと誤解されそうですよね。

村井　そして、ARPAが資金を出していた研究で、1969年にカリフォルニア大学ロサンゼルス校とスタンフォード研究所、カリフォルニア大学サンタバーバラ校、ユタ大学をつないだ、世界初のパケット通信ネットワークであるARPANET（アーパネット）が誕生した（パケット通信とは、データをパケット〈小包〉という小さな単位に分割して送信し、受信側はパケットを集めてデータを復元する）。

竹中　それで2019年を「インターネット誕生50周年」と呼んでいるんですよね。

村井　そう。インターネットの誕生からはちょっとそれるけど、面白い話があってね。湾岸戦争（1991年）の時にアメリカ軍が砂漠で戦っていると、砂嵐の影響などでいくつかある通信手段がどんどん途切れていったんだって。その中で最後までつながっていたのがインターネットだった。
それで、湾岸戦争後に俺を含めたインターネットの研究者がワシントンに集められて、当時、アメリカ中央軍司令官だった故ノーマン・シュワルツコフ（Norman Schwarzkopf）から「インターネットとはどういう技術だ」と質問されたの。だから、みんなで詳しく説明したら「それは、素晴らしい技術だ。これを敵国に渡さないよう禁輸にしよう」と言った。

竹中　はははは。

村井　それで、みんなびっくりして「いやいや、今、世界中が研究で使っているものを軍が使ったんですよ」って言ったわけ。だから「インターネットは軍事技術のために開発された」というのは間違いなんだよ。

竹中　間違っている人は多いと思いますよ。

村井　俺はインターネットの起源で大事なのは、ＡＲＰＡＮＥＴと同じ年（１９６９年）に誕生したマルチユーザーオペレーティングシステムの「ユニックス（UNIX）」だと思っている。

現在のコンピュータは〝人間のために働く機械〟という側面が大きいよね。でも、コンピュータの誕生の歴史からいうとコンピュータは〝計算する機械〟なんだ。「人間では解けないような難しい式を解く」、あるいは「素早く解く」「膨大な量の計算をする」。こういうことがコンピュータの得意技なの。

竹中 そうですね。

村井 ところが、ユニックスの誕生によってコンピュータは〝計算する機械〟から〝人間のために働く機械〟になった。コンピュータは単なる機械だけれども、その機械（ハードウェア）を使うためにソフトウェアのＯＳ（オペレーティングシステム）を入れるよね。ＯＳは普通、ＩＢＭのコンピュータならＩＢＭが作る。東芝のコンピュータなら東芝が作る。なぜなら、ハードウェアの性能をいちばんよく知っているのは、そのハードウェアを作った会社だから。でも、アメリカのベル研究所のデニス・リッチー（Dennis Ritchie）とケン・トンプソン（Ken Thompson）を中心とした研究者たちは、どの会社のハードウェアにも適応するＯＳを作った。

竹中 Ｃ言語といわゆるデバイスドライバのおかげですよね。「ドライバを使ってＯＳを共通化する」という考え方。それが革命的だったんですよね。

村井 そう。ドライバでデバイスを抽象化して、「カーネル（kernel）」という概念でハードウェア全般を抽象化したことだな。どのハードウェアでも同じＯＳで動いていれば、同じソフトウェアを使える。だから、コンピュータを作るメーカーは顧客をロックイン（固定化）できなくなるけれども、この「どのコンピュータでも同じソフトウェアが使える」ことは利用者にはとても重要で、これによってコンピュータは「計算する機械」から「人間のために働く機械」に変わった。

だって、ウィンドウズ（Windows OS）もマック（mac OS）もアンドロイド（Android OS）やｉＯＳも、みんなこのユニックスのコンセプトを踏襲しているんだよ。だから、現在、実現している「コンピュータのデジタルテクノロジーで人間を支える」というコンセプトは、ユニックスがルーツになっている。俺は「パケット通信」よりも、このコンセプトの方が重要だと思うんだけど、「インターネットの生みの親はユニックスだ」なんて誰も言わないよね（笑）。

竹中　何ででしょうかね（笑）。ユニックスの根本にあるオープンソフトウェアの精神とインターネットらしさの類似性はよく聞きますが。

インターネットはいつ生まれたのか

村井　話はちょっと変わるけど、俺は高校生の頃、コンピュータが大嫌いだった。

竹中　え、そうなんですか？

村井　理由はいろいろあるんだけど、高校生の時に学校にコンピュータクラブがあって、当時、そのクラブに入っている生徒は「計算好き」「数式好き」みたいなやつらばかりだったの。そのクラブではコンピュータに専用のカードを入れると、1週間後に計算の答えがプリントされて出てくるみたいなことをやっていて、みんなコンピュータに計算してもらいたいから行列を作って待っているんだよ。その光景が俺には「コンピュータ様、どうか計算してくださ い」って、人間がコンピュータにひれ伏しているように見えたの。それで「コンピュータって、何だか偉そうだな」って思っていた。だから、コンピュータが大嫌いだった。

でも、大学生の時にユニックスと出合って、コンピュータは「人間のために働く機械だ」という考え方を知ってからは、逆にすごく興味がわいてきた。コンピュータが人間のために働くということは、「人間が中心にいて、その周りにコンピュータがある」という構図になるよね。そして、真ん中にいる人間をコンピュータが支えるためには、コンピュータどうしが連携をしなくてはいけない。これがコンピュータネットワークの原理なんだよ。これを俺は大学の卒論で書いたわけ。

竹中　そうなんですね。

村井　じゃあ、コンピュータが人間を支えるためには、どうすればいいのか？「世の中にはノーベル賞をとるようなすごい人間がいる。まずは、そういう人たちが仕事をしやすい環境を作ろう」と思った。例えば「優秀な科学者が問題を解決する時に、できるだけその時間を短くできないか」といったところからインターネットはスタートしたんだよ。そして、最終的には「『人間の創造性』や『夢の実現』などに貢献する環境を作りたい」と思っている。でも、それはまだ完璧にできていないから、同じ目標で40年以上研究を続けていられるわけ（笑）。

竹中　たぶん、パケット通信の仕組みができた瞬間に当時の開発者の頭の中には、「将来、コンピュータとネットワークが人間の役に立つものになる」ということ、例えば「将来、コンピュータで買い物ができるようになる」とかはわかっていたんでしょうね。それをその後、村井さんも含めて、何十年もかけて実装してきたわけですよね。

村井　そうね。だから、情報の歴史の本には出てこないかもしれないけれど、１９６９年にパケット通信ネットワークのＡＲＰＡＮＥＴが誕生して、同じ時にユニックスが〝コンピュータは人間のために働く機械〟というコンセプトを作った。このＡＲＰＡＮＥＴとユニックスの結婚が〝インターネットの誕生〟と言っていいんじゃないかな。

竹中　村井さんがユニックスに出合ったのは70年代の半ば頃ですか？

村井　そうだね。ＡＲＰＡＮＥＴとユニックスは、70年代の後半まではそれぞれ独立して研究されていて、なかなか出合うことがなかった。ＡＲＰＡＮＥＴは通信工学の領域で発展していき、最初、ルーターを介して別のコンピュータにつながるシンプルなものだったのが、やがてコンピュータをリレーして次のコンピュータにつながる経路制御ができるようになった。そして、「コンピュータとコンピュータをつなげるだけではなく、ネットワークとネットワークをつなげることができるかな」というあたりで70年代が終わるんだ。

竹中　はい。僕は当時まだ12歳ですね。

村井　一方、ユニックスを作ったベル研究所のケン・トンプソンはカリフォルニア大学バークレー校でユニックスの授業を行ったり、その学生のビル・ジョイ（Bill Joy）たちは、バックス（ＶＡＸ）というコンピュータを使ってユニックスの改良を重ねていた。そして、１９７８年にバークレー校で高性能のユニックスができると、大学はそれを「オープンソース（無償公開）」として世界中にばらまいた。それがＢＳＤ（Berkeley Software Distribution／バークレー・ソフトウエア・ディストリビューション）。これはバークレーの大偉業だよね。その後、ＢＳＤのバージョンは、小さなメモリ空間の「バージョン２」、大きなメモリの「バージョン３」を70年代の終わり頃に作ってきた。80年代に入るとバーチャルメモリをフルに使う「バージョン４」が出て、俺らもこの「４ＢＳＤ」にどうやってネットワークをつなげようかと話していたんだよ。一方、２ＢＳＤの方は、やがて、ＩＢＭ　ＰＣのユニックスへと発展し、リナックス（Linux）などの大きなコミュニティを生み出す元になっていった。

竹中　そして、１９８３年に「４・２ＢＳＤ」がリリースされる。この「４・２ＢＳＤ」には、ＴＣＰ／ＩＰ（Transmission Control Protocol / Internet Protocol／ネットワークを使うための通信手順）が統合されていた。衝撃的でしたよね。

村井　それで、インターネットがあっという間に世界中に広がった。そして、これがインターネットのテクニカルな起源だと思う。

ＷＷＷとは何か？

竹中　ＴＣＰ／ＩＰが標準化されたことが、インターネットの歴史の大きな節目のひとつですよね。そして、もうひとつが「ＷＷＷ」。

村井　ＷＷＷのことを簡単に説明しようか。当初のインターネットは、バークレー校や東京大学、慶應義塾大学みたいにたくさんの論文や情報、ソフトウェアなどが保存されているコンピュータがあって、「今度、〇〇〇を発表します」というアナウンスがあると、みんなバークレー校や東京大学、慶應義塾大学などのコンピュータにアクセスして、その論文や情報、ソフトウェアをコピーしていたんだ。そのうちに「新しいバージョンのソフトウェアはここにあります」みたいなアプリケーションが作られて、何がどこにあるのか見やすくなった。だけど、論文やソフトウェアなどの情報量がだんだん多くなってくると今度は保存用のディスクをいくら買っても足りなくなるわけ。それで、世界中が「これじゃあ、ダメだ！」と悲鳴を上げ始めたのが80年代の終わり頃。

竹中　はい。ＦＴＰサーバやｇｏｐｈｅｒ（ゴーファー）サーバのことですね。

村井　情報量が多くなると、どこに何があるのかわからなくなるし、フルバージョンのソフトしか置いていないと、せっかくコピーして持ってきても入れ替えないと使えない。大学のコンピュータもいつもメンテナンスしておかなければいけないし、保存用のディスクが壊れたら、全部バックアップから戻さなければいけない。それだけで１日が終わっちゃうみたいな生活になるわけ。スイスに「ＣＥＲＮ（セルン／ヨーロッパ原子核研究機構）」という高エネルギー物理学の研究所があるんだけど、ものすごい量のデータが保存してあった。粒子どうしをぶつける実験をするんだけど……。

竹中　一回衝突させると、当時でも何GBというデータ量になるんですよね。

村井　で、その膨大なデータをどうしようかという話になった。いろいろな研究者がCERNでのいくつもの実験データを表やグラフにして分析して、論文をたくさん書くわけ。論文では実験データの添付は必要だから、コピーしてどんどんたまっていく。そこでティム・バーナーズ＝リー（Tim Berners-Lee）という研究者が、「みんなCERNのデータをコピーしちゃいかん。その代わりに『CERNの誰がどんなデータを持っている』というURL（Uniform Resource Locator＝統一資源位置指定子）を書いておいて、クリックしたらそのデータが見られるようにすればいいじゃん」と言ったの。で、それならCERNだけじゃなくて、世界中のコンピュータでそうすればいいじゃんということになった。これがWWWの発明で、それが1989年のこと。

竹中　やはり、URLの発明がすごいですよね。WWW以前は、「大学や研究所などのサーバに入って、ディレクトリを下へ下へとたどっていくと、新しい研究データや新しいソフトウェアのリソースがあります」と説明していたものが、URLの発明で「このコンピユータのここにある」ということが一発で伝えられるようになった。これで、世界がかなり広がりました。

よく「WWW=検索」だと思っている人がいますけど、ちょっと違いますよね。

村井　WWW以前にはさっき竹中が言ったゴーファーという検索エンジンのもとみたいなものがあった。ゴーファーにはヴェロニカという検索システムが統合されていて山のようにある情報の中から「竹中」「論文」と検索すると「このコンピュータに竹中の論文がある」ということを教えてくれる。それで「じゃあ、そのコンピュータに論文を取りに行くか」というふうに人間の手間がかかっていた。それがWWWができると、山のような情報から探さなくても、データを公開する時にURLを書いておけば、どこに何があるのかがすぐにわかる。そして、自分のウェブページにURLを公開しておけば、そのURLを見つけるのはロボットでもできる。

竹中　そのロボット（クローラー）を使って検索の自動化ができるようになった。

村井　そうなると、定期的にURLを集めておいて、「どこに何があるのか」「どんなキーワードが書かれているのか」を調べられるWWWの検索エンジンを作ろうということになってできたのがグーグルとかなんだよ。

竹中　一方で、アナログな人間の力で情報を編集しようという流れも出てきますよね。

村井　ウィキペディア（Wikipedia／2001年1月スタート）は、ウェブの中で人間の力で知の集結をしようというサイトだよね。ウィキペディアのせいかどうかわからないけど、今は百科事典が売れてないでしょ。俺は『ブリタニカ国際大百科事典』の改訂版（1995〜2002年）で、インターネットの項目を書いたんだよ。

竹中　どんなふうに書いたのか読んでみたいですね。

村井　そうしたら、翌年から印刷物の百科事典がなくなってデジタルだけになっちゃった。インターネットという項目を入れたのを最後に。これも何かの因縁なのかね。ウィキペディアって、ジミー・ドナル・〝ジンボ〟・ウェールズ（Jimmy Donal "Jimbo" Wales）が作ったんだけど、彼は非常にストイックにメンテナンスをしていたから、ここまで広く利用されているんだと思う。人が自由に書き込みできるっていうことは、いくらでも荒れたり、フェイク（嘘）情報になったりすることもあるんだけど、書き込む時にはそのエビデンス（根拠）をきちんと示すとか、すごく努力していたよね。あれ、お金とってないんだもん。すごいよな。

竹中　仕組みの工夫でフェイクやノイズなどを排除しようというのがすごいですよね。知っている人が勝手に書くのではなく、エビデンス、エビデンスってエビデンスを示し続けることで整合性が取れた文章を残すという仕組みの構築をずっとやり続けた。

村井　俺がジンボと話した時に、「日本は何か、世界と違うんだよな」と言っていた。アメリカでは「俺が、俺が」でみんなが書くんだって。だから、エビデンスをとって正規化しないといけない。でも、日本は「自分が貢献したい」という意識で書くらしい。公共貢献の塊のようなウィキペディアは日本の文化に合っていたんだろうね。ウェブができた時も、アメリカ人は「俺の意見はこうだ」みたいなものを書く。でも、日本人は「自分の日記」みたいなものを書く。だから、アメリカではウェブはジャーナリズムの代わりとして発展した。一方で日本では日記の表現のような形で発展した。

竹中　僕もSFC時代、ウェブで日記を書いていました（笑）。そういえば、ウィキペディアの日本語版ってメチャクチャ早くできましたよね（ウィキペディア日本語版は2001年5月スタート）。

村井　そう。それに日本のウィキペディアはアメリカの翻訳版ではないから、英語版と日本語版で全然違うんだよ。普通、翻訳しそうな感じだけどね。

竹中　日本はオリジナル版が発展していった。

村井　日本版のウィキペディアがすごい量だってジンボは喜んでいたよ。で、その時に『ウィキペディア英語版と日本語版の違い』という研究をやっている人がいたら面白いよね」という話になった。本質的な部分の研究になると思うんだけどね。だから、ジンボが生きているうちに、彼が知っている「言語ごとにどういう違いがあるのか」ということを聞くのはいいかもしれないね。

竹中　今、どこにいるんですかね？

村井　カリフォルニアあたりじゃないかな。竹中、ジンボと対談してこいよ。「ウィキペディアと日本」という視点はすごく面白いと思うよ。

インターネットの誹謗中傷

竹中　今、ＳＮＳでの誹謗中傷で自殺する人が出てきたり、フェイク情報が発信されたり、インターネットの負の面も大きく取り上げられるようになりましたが、村井さんはこういう状況を予想していたんですか？

村井　１９８４年10月に日本で「ＪＵＮＥＴ（Japan University Network／ジェーユーネット）」というコンピュータのネットワークにつないで電子メールをやりとりするということを始

めたんだよ。

竹中　村井さんがデータのやりとりをするために慶應義塾大学と東京工業大学を個人的につないだんですよね。これが日本におけるインターネットの実質的な起源といわれている。

村井　そうしたら、あっという間に多くの大学や企業の研究機関が参加してきた。で、JUNETでは電子メールと電子ニュースのやりとりをしていた。電子ニュースは基本的にはバルク（一括）転送で、アメリカのネットワークから時々ドカンとまとめてニュースを持ってきて日本で配る。日本のニュースもまとめてアメリカに送る。アメリカで日本のニュースは「fj（From Japan）」というカテゴリーで分けられていた。その他にもいろいろなカテゴリーがあって、みんな勝手なことを書き込む「掲示板」という感じのソフトウェアだった。実は、この時にも掲示板で他人の悪口や誹謗中傷をいうやつがいたんだよ。普段はおとなしいのにオンラインになると人格が変わってしまう。それで知り合いが説得しようとするけど上手くいかない。逆に反論されて負かされてしまう。普通のコミュニケーションとオンラインのコミュニケーションでは何か違いがある。

竹中　そうですね。当時の様子がありありと記憶に残っています。

村井　他に「不幸のメール」とかもあるよね。「このメールを5人に送らないと不幸になる」とか。これは俺が小さい頃からあった「不幸の手紙」のメール版。あと、JUNETでは「ネズミ講（無限連鎖講）」が流行ったこともあった。夜中の2時頃に新聞記者さんから電話がかかってきて「ネズミ講の温床になっているようですが、JUNETは何のために作ったんですか？」って質問されたんだよ。だからすぐに調べたら、流通している情報は「これはネズミ講だから気をつけろ」というものだった。

竹中　すでに注意喚起の情報が回っていた。

村井　それでわかったのが、悪い犯罪みたいなのが流通すると、その後から「気をつけろ」という情報も流通する。悪貨の後に良貨が出てくるんだ。だから、悪口とか誹謗中傷があっても、「悪口とか誹謗中傷とかやめろよ」という動きも出てくるはずだから、インターネットの中ではバランスが取れていくんじゃないか、最後にはみんなの力で落ち着くんじゃないかと思った。ただ、インターネットは現実社会と比べて広がる速度が速いし、規模が大きい。実は、そういうことは80年代にはすでにわかっていたんだよ。

竹中　実社会でも、我々の知らないところでもっと陰湿なことが起こっているかもしれませんからね。

村井　だから「作る時から、悪口や誹謗中傷で傷つく人が出ることはわかっていたのか？」って、よく質問されるんだけど、作っている時には「コンピュータとコンピュータをつないでデジタル情報を流通させよう」というところから始まって、それを「みんなに使ってもらうためには、喜ばれるものでなければいけない」から「ユーザーが満足するものを作ろう」ということになるわけ。我々の使命感は「デジタル情報を伝えるグローバルネットワークを作ろう」ということにあったんだよね。

竹中　ネズミ講のことで僕が覚えていることがあって、JUNETでネズミ講が流行っていた時に、「ネズミ講とは何か？」という解説がまず流れてくるんですよ。そして次に「今、こういうことが流行っているから気をつけろ」というのも流れてくる。まさに村井さんが言った通りです。悪いことをしようとする人たちがいる一方で、それに対抗しようという人も出てくる。しかも、その対抗しようとする人の情報は、ウィキペディアのようにエビデンスが示されたものなんです。だから、その両方の情報を受け止めたうえで、普通の人だったら当然、ネズミ講なんてやめた方がいいと思うのでその面をきちんと捉えると安心できるんですけど、「加入者を100人作ったら、メッチャ儲かるじゃん」みたいな側面にひかれる人はそっちに行っちゃうわけです。

村井　さっきの新聞記者さんの話に戻ると、新聞記者さんに言われて自分で調べたら、目につくのが「気をつけろ」という情報ばかりだったので、俺は少し楽観的になった。たぶん、新聞記者さんはJUNETでネズミ講が流行っていて、これを問題視しようとして俺のところに連絡してきたんだと思う。でも、連絡してきた時には、すごいスピードで「気をつけろ」に変わっていた。だから、悪い情報の広がり方は速いけれども、良い情報の広がり方も速いんだということ。これはサイバーセキュリティの分野でも有効だと思うんだよね。世界中で助け合えるし、多くの人が応援してくれる。そして今は、そういう仕組みがすでにできあがっていると思う。

竹中　SNSでの誹謗中傷が原因で自殺者が出てしまった事件など、今はインターネットのデメリットが目立っていますけど、それはメリットを忘れてデメリットばかりを受け止めてしまうからだと思うんです。本当はメリットとデメリットをきちんと理解して、判断してもらえればもっと違った捉え方ができるんじゃないでしょうか。

村井　この問題でいちばんいけないのは、例えば「あるクラスでいじめが起きた」「それはネットを介して起こった」「だから、ネットを使うのをやめよう」という流れ。ここで「ネットを使うのをやめよう」というのは答えじゃないんだよね。答えは「いじめが起きないクラスを作る」こと。もっと全体を見なくてはいけない。

竹中　現在のSNSは超先鋭的な人が何十人かいるんです。その人たちの声がすごく大きい。そして、いろいろなレトリックを使って攻撃するのがとても上手い。だから、攻撃された人はすごく深刻に受け止めてしまうけれども、実は約1億2000万人いる日本の中で、数百人とか数十人に言われているだけなんです。本当に少数。だから、気にする必要はない。そして、もし気になるようだったら、自分の周りにいる人に聞いてみればいい。「SNSでこう言われているんだけど、大丈夫かな?」って。それで、だいぶ変わります。周りの人に聞くことによって、全体の構造やそもそもの意味が見えるようになるから。

ネット時代の日本の役割

村井　WWWができて約30年。これまではデメリットを取り上げられることも多かったけど、さっきのネズミ講の話と一緒で、人間って最終的には自分たちにとって〝良いこと〟〝豊かにすること〟に向かっていくんじゃないかと思っているんだ。そして、その「リーダーシップをとるのは日本じゃないか」という期待がある。というのも、例えば、海外で大地震やハリケーンなどの災害が起きると、お店の品物を略奪したり暴動が起きたりすることが多いよね。

竹中　お店のガラスを割って店内に入ったり、メチャクチャになってますよね。

村井　でも、２０１１年の東日本大震災の時の日本は略奪や暴動がほとんどなく、支援物資の配給をきちんと整列して待ったり、助け合いの精神が発揮されたりしていた。あと、俺、この間、経済産業省の前で財布を落としたんだよ。そうしたら、ちゃんと交番に届いていたの。もっとすごいのが、これは10年ぐらい前の話なんだけど、ドイツから来た教授が自転車で恵比寿を走っていたら20万円くらいの札束を落としちゃったの。

竹中　20万円の札束ですか？

村井　そう。それで彼女は大泣きしちゃってさ。でも、近くの交番にその20万円の札束がちゃんと届けられていた。それですっかり感動して「私はもう日本から離れない」「これからは、日本のために私は働く」って宣言していた。まあ、これは極端な例だけど、インターネットのこれまでの30年は、通信速度がどうとか、効率がどうとか、それこそ誹謗中傷がどうとか言っていたけど、これからの30年は「良いことに使おうよ」という流れになれるんじゃないのかな。

竹中　日本文化の影響で、それが起こるかもしれない、と。

村井　だとしたら、日本の責任は大きいよね。逆にいうと「これからはインターネットを使って良いことをして生きようよ」というのを日本がリーダーシップをとってやれば気持ちいいじゃん。「他人のことなんか考えずガツガツやろうぜ」って世界を引っ張るより全然、格好いいと思うんだよ。なぜかというと、今、インターネットアブユーズ（internet abuse）が問題になっていてね。

竹中　インターネットの悪用、濫用ですね。

村井　「インターネットを使って悪いことをしてやれ！」っていうので、今、病院が困っているらしいんだよ。「ワナクライ（WannaCry）」をぶつけちゃえって。

竹中　ワナクライって「ワーム型のランサムウェア（身代金を要求する不正プログラム）」ですよね。

村井　うん。コンピュータに侵入して、システムやデータなどをロックして、ロックを解除したければビットコインで身代金を払えっていうやつ。２０１７年にイギリスの病院がやられたんだ。

竹中　２０２０年11月にはゲーム会社大手の「カプコン」がランサムウェアで攻撃されて、身代金を要求されたというニュースもありましたよね。

村井　ただね、日本の病院は幸か不幸かインターネットの導入がすごく遅れている。だから、攻撃されても被害が少ないらしい。

竹中　それは……ちょっと面白い（笑）。

村井　「コンピュータウイルス」っていうのは、そのコンピュータを勝手に動かしたり、最近は個人情報を抜いたりするのが多い。それに対してランサムウェアの「ワーム」はミミズみたいにコンピュータを渡り歩いて、データをロックしたり、暗号化したりする。それで、ロックや暗号化を解きたかったらトレース（追跡）できないビットコインを払えと要求してくる。昔のウイルスはコンピュータを壊したり、情報を流出させたりしていたんだけど、最近では「あなたのコンピュータはもう使えません。使いたかったら対価を払いなさい」って変わってきた。

竹中　アブユーズのビジネスモデルにも革命が起こったんですね。

村井　そう。もともと「濫用」の意味は、海外の大統領のようにツイッター（Twitter）で発言しまくって世間を混乱させたりすることとかだね。ツイッターを作ったのは、あなたのためではないんですよって。

竹中　そうですね。

村井　アブユーズの反対は「プロパーユーズ（proper use＝正しい使い方）」。でも、今の時代なら「エシカルユーズ（ethical use＝倫理的な使い方）」かな。ユーザー（user）はそもそも「使う人」で、今は「正しく使う」ことを求められるようになってきた。だから、ＳＮＳも良いことに使ってほしい。例えば民主主義を支えるためとか、何か事件が起こったらインスタグラム（Instagram）に真っ黒な写真をアップするとか。

竹中　レディー・ガガのキュレーションで、２０２０年４月にオンラインチャリティコンサート「One World : Together at Home」が開催されたんですよ（ポール・マッカートニー、ザ・ローリング・ストーンズ、スティーヴィー・ワンダー、セリーヌ・ディオン、エルトン・ジョンらが出演）。それで約１３７億円の寄付金が集まり、新型コロナ対策のために充てられたそうです。あのコンサートはインターネット発で全世界が一体化したような感じで、１９８５年の「ライブエイド（Live Aid／アフリカの難民救済を目的に開催されたチャリティコンサート。世界中から有名アーティストが参加した）」以来の歴史的なチャリティコンサートになりました。これって、まさにプロパーユーズだし、既存メディアに頼らなくてもそういうことが普通に可能だということの良い例ですよね。

村井　勇気づけられる話だよな。

インターネットの引用

村井　学術論文などには、引用文献や参考文献を書くよね。その時にＵＲＬを書いていいのかということが学会で議論になったんだよ。ウェブで調べたことを書きたいじゃん。「ウィキペディアにはこう書いてありました」って引用したいじゃん。でも、ウィキペディアを引用すると、その後に変わることがあるよね。だから、日付やバージョンなどを書いておかなければダメだということになる。

竹中　引用するということは、そこに確かに書いてあるということを特定しないといけませんからね。

村井　特にウィキペディアは更新されるために作った百科事典だからね。となると、日付やバージョンから逆算して、そのテキストが手に入るのか。

竹中　ウィキペディアの場合は、残っていない場合は、自動では取れなくてスクレイピング（情報を抽出）する必要があるはずです。

村井　日付からその時のバージョンやＵＲＬを探すサービスってあるのかな。

竹中　僕は知らないです。

村井　すると、論文の審査をする時に本当にその文章が載っているのかどうかがわからない。それから、文章の確認ができないとウィキペディアの一部を引用したと言っていたにもかかわらず、本当は全部を引用していたということがあるかもしれない。このコピペがいちばん怖い。

竹中　それは盗作ですからね。

村井　インターネットになって調べ物は楽になった。だって、昔は本を集めていたんだから。本を100冊読んで書いた博士論文とかあったからね。だけど、その情報がいつのものなのかということには気をつけなければいけないし、簡単にコピペできるようになったからって、安易に引用するのも気をつけた方がいい。

竹中　インターネットができて人間の活動が楽になったけれども、一方でそれを利用して悪用する人も出てくるわけですよね。そこには、何か人間の業を感じますね。

村井　俺らがインターネットを作っていた時は、「俺ら（研究者など）が使いやすいように」って作っていたんだけど、1992年に日本でもインターネットが商用化されたんだ。

竹中　日本では「IIJ（Internet Initiative Japan）」が設立されたんですよね。

村井　それで、お金を出せばインターネットが使えるようになった。このあたりから、俺たちじゃない人が使うようになる。

竹中　それまでは、みんな研究者や技術者で、粒子の衝突データなどのファクトがほしいから、嘘をついたり、ニセモノを作ったりしてもメリットがないし、仮にやったとしたらものすごく悪いことになってしまうんですよね。

村井　そう。「データがもらえてうれしい」というような感じだった。

竹中　それに、初期の頃は「○○大学には誰々がいる」って、みんな知っていた。

村井　それで、大学で使わせていると学生で悪さをするやつが出てきても、「お前んとこの大学の学生がこんなことをしているからやめさせろよ」と言うだけで終わっていた。だから、技術として「悪いことを止める」というのは、あんまり考えてなかった。

インターネットと日本語

村井　さっきの「これからの30年、リーダーシップをとるのは日本じゃないか」という話にも関連してくるんだけど、「日本語を大事にしよう！」というのは、俺のライフワークとしてかなりつっぱってやってきたつもりなんだ。何しろ、俺のインターネットでの最初の仕事は「電子メールを日本語で使えるようにすること」だったから。インターネットを始めた頃は、英語が標準語だった。コンピュータサイエンスの世界は英語でできているからね。あの頃のアメリカの俺の仲間はみんな「英語を話せない人がいるの？」くらいの認識だったから。でも、俺は「堅固な文化を持っているということは大事なこと」だと思っているんだ。というのも、国際政治学者の細谷雄一さんが「言語を大事にしていることが、文化が生き延びることのひとつの条件だ」と言っていたから。自分たちの言語を守らないで、民族と文化をずっと維持できたことはごく少ないらしい。

竹中　それは、なぜですか？

村井　政治学の先生だから政治学的な考察だけど、「民主主義だろうと共産主義だろうと、共通の言葉で議論をして、理解され、実践されないと成立しない」んだって。例えば、中国の北部で使われていた「西夏文字」（１０３２～１２２７年の西夏王朝時代の文字。漢字と似た構造を持っている）はもう使われなくなっているでしょう。それは自分たち固有の文字ではない「漢字」を使って文化活動をしたから。これを１０００年単位で見ると、自分たちの文字をなくした民族はいなくなってしまうんだ。

竹中　すごく興味深い話ですね。

村井　インターネットの世界では、日本語もその危機にあったと思う。だって、最初は「英語だけでいいいか」と俺も思っていたから。「コンピュータサイエンティストは、みんな英語が話せるから大丈夫だろう」って。でも、電子メールを始めたら、日本人どうしは「YOROSHIKU」とか日本語でローマ字を使ってやりとりをし始めるんだよ。

竹中　「よろしくお願いします」とか、英語にしようがないですからね。

村井　みんな論文は英語で書くし、マニュアルも英語で読むけど、日本人どうしのコミュニケーションは、やはり英語では難しいことがわかった。それで「絶対に日本語のインターネットは必要だ」と確信した。まあ、実際に作っていくと言語に詳しい人間が「縦書きにするのか、横書きにするのか」「フォント（書体）はどうする」「改行はちゃんとできた方がいいな」とか、いろいろと要求をつきつけてきてうるさいんだけどね（笑）。

竹中　歴史とこだわりがありますからね。

村井　だから、インターネットを標準化する時に、英語で作ったものをもう一度、全部日本語で使えるように設計し直した。そして「インターネットは多言語に対応しないといけない。そうしないとグローバルにはならない」ってアピールしたんだよ。

竹中　インターネットの多言語化は日本語が切り開いたんですね。

村井　そう。日本語が切り開いて世界中の言語を乗せられるようにした。これは、インターネットをグローバルな基盤にするために、とても大切なことだったと思う。

竹中　英語だけだと、日本語の独特な表現や言い回しなどは伝わりにくいですからね。

村井　本当にインターネットが始まった頃の2、3年は日本語に関することばかりやっていたよ。例えば「ネットワークでつながっているんだから、カナ漢字変換をローカルのそれぞれのコンピュータでやるのはおかしいよな。カナ漢字変換のサーバを真ん中に置かなきゃダメだ」とか。

竹中　「Ｗｎｎ（ウンヌ）」のことですか？

村井　そう。それでＷｎｎ（1985年頃から開発されて、87年に完成）ができた。

竹中　最初から、すごく先進的な、今ならクラウドベースと言ってもいい変換エンジンアーキテクチャーを考えていたんですね。

村井　俺は「日本語を大事にしたい」という思いから、一生懸命、日本語のコンピュータサイエンスのデータベースを作った。そして、それをインターネットで標準化した。実は、この日本語のインターネットに引っ張られて、世界中の言語が表現できるようになったんだよ。そして、今ではロシアのウェブを見ればロシア語で書かれているし、フランスはフランス語で書かれている。日本とインドネシアとタイは、自分たちの言語でツイッターを使う3大国なんだけど、そういった環境ができたのは歴史的には日本のおかげなんだよ。

竹中　ＵＴＦ（文字コード）は日本が育てたと。

マンガとインターネット

村井　そうすると新聞や雑誌、書籍などの出版、言語の文化は遅かれ早かれインターネットに向かっていくよね。２０１７年1月にウェブ技術の標準化団体「Ｗ３Ｃ（World Wide Web Consortium）」が、ＥＰＵＢ（電子書籍の国際標準フォーマット）を推進している団体「ＩＤＰＦ（International Digital Publishing Forum）」を統合したんだ。

竹中　村井さんはその前段階として、ＥＰＵＢ3をどうしたらいいかの話を僕ともしていましたよね。結果、出版とウェブの世界がシームレスになった。

村井　そう。世界中で「漢字はどう表現する」とか「ふりがなはどうやって入れる」とか「縦書きの時はどうする」とかを統一することになった。そうすると、出版とウェブの両方の世界が得をすることになるよね。それで今、電子書籍が進んでいるんだ。あと、まだ残っているのが「マンガ」。

竹中　マンガの標準化は難しそうですね。

村井　でも、デジタルで描く場合は、例えば吹き出しのレイヤー（階層）に各国の言語を入れられるし、「ズコーン！」みたいな擬音語も別のレイヤーで描かれていたりする。今は、そういうことができるようになってきた。

竹中　おお、それは便利だし、すごいですね。多国語版のデータが一種あれば済みますね。

村井　マンガで面白い話があるんだよ。俺、フランスで日本のマンガしか置いてない書店に行ったの。そうしたら2013年くらいまでのマンガは左開きなんだ。

竹中　日本のマンガは、ふつう右開きですよね。右上から左下に読む流れです。

村井　それで、サッカーのブラジル代表にもなったネイマール選手と話したら、日本のマンガが好きで『キャプテン翼』とかを読んでいたんだって。

竹中　『キャプテン翼』でサッカーを始めたという選手も多いですよね。

村井　で、ネイマールが読んでいた時は左開きだったんだって。それで、日本のサッカー選手は利き足が左の人が多いんだとずっと思っていたって。

竹中　左開きにする場合、左右を逆にして印刷すると、右利きのキャラクターが左利きになるからですね。

村井　だから、野球もサッカーも日本人は左利きの選手が多いと思われていたの。日本のように右から読む習慣がないからね。でも、やっぱり、きちんとした絵で見たいということから、2013年以降にフランスで発行されているマンガはついに日本と同じ右開きにすることが多くなったんだ。

竹中　本の読み方を変えてしまったんだ。面白いですね。

村井　縦書きくらいじゃ押し切れなかったけど、マンガは世界の書籍の文化を押し切った。「マンガはすごいな」ってフランスで思った(笑)。

竹中　あれだけフランス語が好きな、フランス人の言語文化を変えさせたんですもんね。

村井　新型コロナウイルス感染症の前だけど、小学館や集英社、講談社、KADOKAWAなどのマンガを出している出版社の社長さんたちと「アドバンスド・パブリッシング・ラボラトリー(Advanced Publishing Laboratory)」というのを作って、月に1回朝食会をやって「これからどうする?」って作戦会議をしていた。

竹中　そんなことやっていたんですか?

村井　うん。俺、「マンガのデジタル化で、日本の文化が世界に伝わるんじゃないか」と思っているんだよ。マンガ以上に強い武器ってないかもしれない。

竹中　映画はどうですか?

村井　もちろん、外国にも「黒澤明から学んだ」とか「小津安二郎から学んだ」とか、日本映画の影響を受けている人たちはたくさんいて、映画も強いコンテンツだと思う。だけど、やっぱり影響を受けた作家がその国で作品を作っても日本側は儲からないんだよね。

竹中　まあ、そうですね。

村井　何で、マンガを出している出版社の社長さんと会合をしているかというと、マンガって日本国内で十分に売れているから、世界にまで手を広げることに二の足を踏んじゃうんじゃないかなって思ったからなんだよ。

竹中　世界にわざわざ売る必要がないと。

村井　でもね、アジアなんかでは海賊版やコピーみたいなのが出回っていて、お金にはなっていないけどメチャメチャ読まれている。それから、マンガ『ヒカルの碁』の監修をやっている吉原由香里（旧姓、梅沢由香里／棋士）さんが慶應義塾大学の卒業生で、ヨーロッパで囲碁クラブが広がっているって写真を見せてくれたの。そうしたら、ほとんどの人がアニメやコミックのコスプレをしてるの。

竹中　みんな、マンガを読んで囲碁にハマったんですね。

村井　そう。これも衝撃でさ。『ヒカルの碁』というマンガを通じて、囲碁というゲームがヨーロッパに広まったんだよ。だから、マンガは国際的なマーケットで日本が何かを主張する時のビークル（媒体・器）になる。そして、それは紙媒体ではなくインターネットでやらなければ広がりがない。

竹中　そうですね。

村井　ただ、出版社との会合でわかってきたのは、今、中国がたくさんマンガを作り始めているということ。だから、一刻も早く日本のマンガ家が世界で活躍できるような土壌を作っておかなければダメなの。そして、これがその会合の本質で、そのために今、どうすればいいかをみんなで考える必要がある。

竹中　村井さんには、結論が何となく見えているんですか？

村井　結論はわからないけど、躊躇していちゃダメだと思う。

竹中　やらない方向に行くのは違うと。

村井　そう。「やんなくてもいいや」とか「そんなことしなくても儲かっているから」って思っていると危ないぞということ。

竹中　それは、音楽でも同じことが起こっていると思うんです。少し前にＥＤＭ（エレクトロニック・ダンス・ミュージック／クラブやフェスなどで踊ることを目的とした音楽）ブームがあったんですが、その時に南米などですごい人気のスターＤＪが生まれたんです。そして、そのスターDJが育った音楽的な素養が、違法音楽だったりすることもあった。ここがポイントで、違法だろうが何だろうがコンテンツに触れ続けることで人は才能を開花させることがある。だから、日本の出版社や音楽業界などは日本だけで満足するのではなく、世界に目を向けなければいけないし、そこで作家やクリエイターが儲かる仕組みを作り出さなければいけないんだと思います。

村井　それをやっていかないと、次の作家が育たないと思うんだけど、俺の関心はもう少し別のところにあってね。日本の文化がグローバルに世界につながってしまったインターネットの空間の中で、日本がどう世界に貢献していけるのか。例えば、日本語という言語を尊重することで、世界中の人たちが自分たちの言語を尊重できる技術的土壌が育った。そして、インターネットの世界に人類のダイバーシティ（多様性）が保たれる空間が作れるようにつながった。「じゃあ、次に日本人がインターネットの世界に貢献できることって何だろう」って、俺はいつも考えている。その時にマンガという文化はすでに世界中に広がっている。じゃあ、マンガを通して何ができるのか。でもそれを意識している出版社や企業はまだあまりない。だから、とにかくマンガがインターネットの世界でどんな貢献ができるのかを意識してほしいと思っているんだ。

インターネットとエンターテインメント

村井　竹中が相手だと、やっぱり音楽の話は避けられないよな。

竹中　そうですね（笑）。

村井　今、新型コロナの拡大で問題になっているのは、音楽イベントを再開するにあたり、感染予防などをどうするかということ。音楽イベントは無観客だとやはり盛り上がらないよね。ここでいちばん洗練されたソリューションが必要になる。今チケットって記名制になっていることが多いよね。

竹中　転売防止のためにですね。

村井　ということは、チケットがオンライン化されていれば、仕組み的には個人のＩＤは１００％わかるわけだ。もし、「あのコンサート会場で新型コロナウイルスの感染者が出ました」ということになれば、「病院に行ってください」って伝えることはできる。

竹中　チケット販売の構造をざっくり話すと、まず、音楽を流す夜のクラブのチケットは、ほぼ無記名なので無理です。そこは別途考えましょう。そして、東京ドームや日本武道館などで行われるコンサートなどの記名制のチケットを販売しているベンダー（業者）に「チケットぴあ」や「ローソンチケット」などがあります。そして、その上に「ディスク

「ガレージ」などのイベンターがいます。そして、その上にアーティストや所属事務所があるという構造になっています。

村井　うん。

竹中　で、ダフ屋（転売屋）対策はどのレベルでされているかというと、「欅坂46」なんかは、ファンの人に楽しんでもらいたいからということで、会場で顔写真付きの身分証明書で確認をするということをやっています。また、イベンターも「転売屋が不当な利益を得るのを防ぐためだったら多少のシステム投資はしてもいい」という考えになっています。新型コロナが広がる前は、エシカルな視点から誰がチケットを購入したのかを追いかけることは、やらない方がいいという雰囲気になっていました。

村井　でもさ、顔写真付きの身分証明書で確認するっていっても、実際にはそこまで細かく確認できるわけじゃないでしょ。時間的な問題もあるし。

竹中　確かに、細かくチェックできるかというと難しいでしょうね。

村井　例えば、アメリカのブロードウェイのチケットとかだと払い戻しができたり、ラスベガスのコンサートだと、その場でオンラインでトランスファーができる。

竹中　権利の受け渡しですね。

村井　オンラインでスマートフォンのイーチケットに移してくれるんだよ。主催者が管理しているから、チケットの払い戻しもできるし、譲渡もできる。チケットを販売しているベンダーは、なぜそれができないの？　システムがないの？

竹中　さっきも言ったように、チケット販売の構造が複雑になりすぎているからでしょうね。

村井　でもさ、ＩＤさえわかれば、あとは会場内にセンサーやカメラをつけておけばいいだけでしょ。顔認証のシステムもあるわけだし。監視社会を作りたいわけじゃないけど、音楽イベントを助けるのは、俺のやりたいことのひとつだから。例えば、個人情報的なものも２週間の間に何も起きなかったら消せばいいわけじゃん。その信頼を日本野球機構やＪリーグ、チケットぴあなどが作ればいいわけでしょ。

竹中　チケットぴあは販売ベンダーなので、また違うと思うんですが……。ただ、チケット販売は独特なノウハウがあって、例えば1秒間に１０００とか２０００の申し込みアクセスが来るわけです。これをさばくシステムを作って、さらに認証をどうするかというのは、そう簡単ではないと思います。

村井　お前ならできるだろ。

竹中　えー。まあ、できますけど（笑）。会場でのモギリなんかは課題として残りますよ。

インターネットとヒット曲「ストリーミングでいいや」という意識

村井　ウィキペディアが百科事典を衰退させたんだけど、こうしたDXを考えた時に、音楽産業ってどうだったかなと思ってさ。まず、CDというメディアはセキュリティ的にいうと暗号化していないから、コピーすれば完璧に音楽データが取れてしまう。それをコンピュータ上で流通させることもできる。違法だということは置いておいて、CDを1枚買えば多くの友人にタダで配ることができる。そういう時代があった。

竹中　全盛期は90年代の後半くらいですね。

村井　そして、今はCDをあまり買わなくなって、音楽をアルバムごとダウンロードできる。アルバムじゃなくてもいいか。

竹中　そうですね。1曲でもダウンロードできますから。

村井　音楽がインターネットによって自由に流通し始めると、「CDが売れなくなる」「ミュージシャンにお金が入らなくなる」「絶対に悪い方向にしか行かない」というすごく激しいインターネット批判、デジタル批判があったんだよ。でも、現在、トータルで考えると音楽業界は発展しているよね。それに新型コロナの影響で、ミュージシャンがインターネットを通じて新しい楽曲を発表したり、音楽でみんなを励ましたり、そういうことが共有できて良かったという意見も少なからずある。

竹中　マーケットは大きくなったと思います。日本はちょっと特殊ですがグローバルで考えた場合、スポティファイなどのオーディオ・ストリーミング・サービスが、もともとのCDのセールスを上回っています。

村井　やっぱり、そうなんだ。

竹中　一方で、これは僕の考えですが、ストリーミングだとCDよりも音質は落ちているわけだし、その曲をきちんと憶えて自分の心の中に残せているのかなという気がします。単純に「あの曲いいよね」という「あの曲」を伝えようと思っても、曲名とかアルバム名とかアーティストさえ気にしてないので、できないことがある。タダでというか、お金を意識しないで音楽を聴くことができるようになってしまったので、音楽が自分の記憶や心の中に占める割合が減ってしまったんじゃないでしょうか。マーケットは大きくなったんですけど、特に若者における「ストリーミングでいいや」という心理が、10年後、20年後の音楽業界にどういう影響を及ぼすのかが現時点ではまだわかりません。

それから、「名曲が生まれにくくなっている」ということもあると思います。米津玄師の「パプリカ」のように誰もが知っていて、子供も歌うようなメガヒット曲は、年に1、2曲あればいい方です。10年、20年前はもっと多かったはずですよ。

村井　俺なんか、ある曲を聴くとアメリカでキャンプに行った時、ラジオで流れていた曲だっていう思い出が浮かんでくるよ。

竹中　曲と思い出がワンセットになっていますよね。

村井　「エルトン・ジョンのこの曲が流行っていた時は、あの時代か」「ポール・マッカートニーのこの曲は、あの頃か」って時代感がわかるんだよね。でも、スポティファイで聴くと過去のものもいろいろとおすすめされるわけだから、時代感がなくなるのか……。

竹中　過去の音楽にはいつでもアクセスできるし、思い出として、例えば「2020年にザ・ビートルズを聴いて涙を流した」ということはあるかもしれませんが、その曲は2020年に作られたものではないですから、いろいろと混乱しますよね。

村井　確かに1970年は、どこにいても同じ曲が流れているから、街中『黒ネコのタンゴ』ばかりだった。

竹中　『およげ！たいやきくん』（1975年）もそうですよね。

村井　そうそう（笑）。
竹中　そういうのがなくなりました。

有料配信ライブの時代

村井　有料配信ライブは上手くいっているの？
竹中　２０２０年6月25日に行われたサザンオールスターズの無観客配信ライブが、わりとシンボリックに語られています。最終的に約18万人がアクセスしたそうですが、あのライブは配信開始のギリギリ直前にチケットを購入する人が多かったそうです。そういったユーザーの行動は業界の誰も予想していなかった。
村井　それは、観客を入れるライブと違って、チケットの売り切れが起きないからだろう。セールスパターンが違うよ。しかも、すべてが特等席。だから、早めに購入した人には何か特典があるというようなことを考えなくてはいけない。
竹中　「この後、時間があるからサザンのライブでも見るか」というような人もいたみたいです。これは映画みたいな感覚ですよね。このあたりにも何かヒントがありそうです。
村井　音楽業界は今、大きく動いているよね。

竹中　アップル（Apple）のスティーブ・ジョブズが、２００３年に1曲０・99ドルで音楽を提供するというアイチューンズ・ミュージック・ストア（iTunes Music Store）を始めて、そこから音楽のダウンロード文化がスタートするんですが（日本では２００５年スタート）、ここでいちばん重要なのが「オフィシャルなルートで手に入る」ということ。ネット上に聴きたい音楽がなければ、海賊版や違法な手段を使ってでもどこからか持ってくる人がいるんです。映画などの映像も同じです。さっきのマンガの国際流通も同じですよね。そして、２００９年くらいからユーザーはちゃんとお金を払って、真っ当なルートでコンテンツを手に入れる習慣がついてきた。

村井　悪いことはやめようという意識が高まってきたんだね。

竹中　それに、気に入ったドラマ、例えば『ゲーム・オブ・スローンズ（Game of Thrones）』が初回放送されている期間、それまでの放送済みエピソードをタダで見られるサイトで頑張って見たとしても、その次のエピソードを放送時に見たいと思うなら、ＨＢＯ（Home Box Office＝アメリカの衛星・ケーブルテレビ局）のようなオフィシャルなサービスでちゃんとお金を払わないと見られないということに気づくわけです。そうすると、エピソードごとに数百円払うことも納得できるんです。そういう素地ができたところにネットフリックスとかが現れたから、月に1000円とか2000円払うのも抵抗がなくなってきました。

村井　デバイスに関していえば、サザンオールスターズのライブを見た人は、登録はパソコンだったけれども、実際に映像を見たのはテレビだという人が多かったみたい。今はネットフリックス対応のテレビもあるからね。

竹中　やはり、映画やドラマ、音楽ライブなどは大画面テレビで見た方が快適ですからね。今後はそれがスタンダードになっていくと思います。

第4章　デジタル社会の未来はどうなるのか？

AIに仕事を取られる？

竹中　よく「AIに人間の仕事を取られるのではないか」と質問されることがあるんです。「人間の仕事がなくなるんじゃないか」と。

村井　これには、いろいろなストーリーが考えられるよね。AIが人間の代わりに仕事をすれば人間の仕事がなくなるのはその通りなんだけど、俺はかなり楽観的に捉えている。

例えば、封筒に書類を入れる仕事なんて単純作業だから機械にやらせればいいということは言えるけど、大学の入試問題を封筒に入れる時には「受験生に実力を出して頑張ってもらいたい」という気持ちを込めて教職員が入れる学校もあるんだよ。これは、完全な精神論だけどね。

竹中　人間がやることで、試験問題の乱丁・落丁（ページの順番が入れ替わっていたり、ページが飛んでいたり）を発見することもありますよね。

村井　うん。また、今はクルマの自動運転の技術が進んでいるけれども「どうしても自分で運転したい」という人はいるわけだ。それに、カーレースを自動運転で行うわけにはいかないから、そういう世界では人間がクルマを運転することになる。だから、スポーツなどある種の分野ではAIが完全に人間の代わりになることはないよね。

竹中　そうですね。

村井　また、普段は自動運転のクルマに乗っている人も、何かの事情で自動運転ではないクルマに乗らなければいけない場合が出てくるかもしれない。ということは「時々は自分でクルマを運転しておかなければダメだ」と考える人もいるわけだ。だから、AIに任せる部分と人間がやる部分が混ざり合っていくような気がしている。

竹中　AIに任せきりにならないということですね。

村井　そう。例えば、高齢者や障がい者が自由に移動できるようになるということは何よりも大切だよ。一方で、俺自身は「タクシーに乗って移動するのは楽だ」と思うけれど、「たまにはクルマを運転して仕事に行きたいな」という気分になる。まあ、自分で運転するのはボケ防止という意味もあるんだけどさ。

竹中　（笑）

村井　それから、コンピュータはアップルもウィンドウズも使っていて、キーボードも日本語と英語で別々、スマートフォンもアイフォン（iPhone）とアンドロイドを使っている。

竹中　それは、わざとですか？

村井　そう。キーボードなんてひとつに固定した方が楽だよね。

竹中　慣れていないキーボードを使うのは、すごくストレスになりますよ。

村井　だけど、俺はわざと違うのを使っている。これは「コンピュータがどんなふうに発展しているか」という研究のためでもあるんだけど、人間の対応力や思考力、発想力などを鍛える以外にも、ＡＩにはできない〝ちょっとした違い〟があるんじゃないかと思っているからなんだ。例えば、フルーツジュースをジューサーで作るのと、人間がひとつひとつ手で搾って作るのでは、何かおいしさが違うような気がするよね。その違いは何なのか。そして、その違いが今後、すごく重要になってくると思うし、ＡＩにはできない新しいビジネスになるかもしれない。

竹中　そうですね。

村井　例えば、成長期の子供が移動するのが面倒くさいからといって自動運転の乗り物ばかりで移動していたら、運動能力は落ちるよね。じゃあ、その運動能力を高めるためにスポーツジムに行ってトレッドミル（ランニングマシーン）で走ればいいかというとそうでもない。トレッドミルは走っている時の足首やヒザへの負担が軽くなるようにできているから。だから「トレッドミルでは不十分だ」ということで、結局、「外を走ってこい」ということになるかもしれない。

外を走るということは〝走る〟という行為は同じだけれども、道がデコボコしていたり、斜めになっていたり、正面から風が吹いたりと、環境が刻一刻と変わっていく。その変わっていく環境に合わせて調整しながら走るということは、トレッドミルとはまったく違うわけだ。だから、クルマがＡＩによって自動運転になったとしても、人間は自分で動くことも必要だし、今後はそれが希少価値のあるものになっていくと思う。

竹中 トレッドミルで走るというのは、例えば悪いですけれども「養殖の魚」と同じような気がするんです。それを受けつけない人はいるでしょう。だから、ＡＩに仕事を取って代わられるというのはその通りだけれども、その代わりに人間がやるべきことが新たに生まれてくるはずです。

村井 そうだね。

竹中 それから、ＡＩという言葉は「Artificial Intelligence（人工的な知能）」の略で、すごく広い意味を持っています。しかし、日本ではＡＩを「ディープラーニング（deep learning／深層学習）」のような意味で捉えている人が多いため、「学習をしていくうちにＡＩの知能が人間を超えるのではないか」「そのうちにＡＩが自我を持って自律的に動くようになるのではないか」という心配をする人が増えているような気がします。

確かに「AIに自我が芽生えるのか」という問題はまだ解き明かされていない部分がありますが、AIが目的を持って自律的に動くようになったら、それは現在のAIとはまったく質の違う話です。

AIは「人間にどれくらい役立つか」「人間がどれくらい快適になれるか」という観点で研究されています。その結果、クルマの自動運転などが典型例ですが、クルマに組み込まれているAIは「人間を目的地に安全に運ぶ」という目的だけを実行するようになっています。

ですから、AIが「人間の役に立つ」という目的で動いている限りは、村井さんがおっしゃったように楽観的に考えていいと思いますし、僕もSFのようにAIが人間に戦争を仕掛けてくるということはあまり心配していません。

村井 今、航空機はほとんどがオートパイロット（自動操縦）だけど、なぜ人間のパイロットがいるかというと、もし何かトラブルが起こった時に最後に責任を持って判断するのが人間だからということ。

そもそもオートパイロットのソフトは誰から学んでいるかというと、人間のパイロットから学んでいる。当たり前の話だよね。テクノロジーによる分析だけじゃなくて、「こういう風が吹いている時にはこう進んだ方がいい」というベテランパイロットの経験、〝匠の操縦技術〟もデータ化して、オートパイロットのAIに組み込まれているわけだ。

それで、みんながオートパイロットで飛ぶようになると、今度は手動の操縦の経験を積んだ〝匠のパイロット〟がいなくなるわけだから、ソフトは成長できなくなる。これがオートパイロットのジレンマというやつだ。

竹中　AIが学ぶ相手がいなくなる。

村井　だから、さっきのカーレースの話じゃないけれど、曲芸飛行のエアレースみたいな本当に人間の極限の技を磨いている人たちからデータをもらって学ぶことになるかもしれない。そういうデータを複合的に組み合わせて進化させるんだろうね。

竹中　「GAN（Generative Adversarial Networks／敵対的生成ネットワーク）」などの発達がその部分を救うんでしょうね。

AIが自我を持ち、暴走する日

竹中　さっきの「AIが自我を持つか、持たないか」という話ですが、将来的にはAIが知性や自我を持っているように見える時代は来ると思います。ただし、作家のアイザック・アシモフがSF小説『われはロボット』（1950年）の中で示した「ロボット工学3原則」がありますよね。「1．ロボットは人間に危害を加えてはならない」「2．ロボットは人間の命令に服従しなくてはいけない」「3．ロボットは第1、第2の原則に反しない限り自身を守らなければいけない」です。このロボット工学3原則は守られると思います。

村井　OECD（経済協力開発機構）がAI政策のガイドラインを出しているよね。

1．AIは、包摂的成長と持続可能な発展、暮らし良さを促進することで、人々と地球環境に利益をもたらすものでなければならない。

2．AIシステムは、法の支配、人権、民主主義の価値、多様性を尊重するように設計され、また公平公正な社会を確保するために適切な対策が取れる―例えば必要に応じて人的介入ができる―ようにすべきである。

3．AIシステムについて、人々がどのようなときにそれと関わり結果の正当性を批判できるのかを理解できるようにするために、透明性を確保し責任ある情報開示を行うべきである。

4．AIシステムはその存続期間中は健全で安全した安全な方法で機能させるべきで、起こりうるリスクを常に評価、管理すべきである。

5. ＡＩシステムの開発、普及、運用に携わる組織及び個人は、上記の原則に則ってその正常化に責任を負うべきである。

これは「ロボット工学3原則」をもとにしてできている。他にもＡＩの倫理規定みたいなものがいろいろなところで作られているけれども、だいたいベースになっているのは「ロボット工学3原則」だ。そして、これに個人情報やプライバシーの保護に関するＯＥＣＤの5原則を合わせたものが、ＡＩ研究のガイドラインになっている。

それで「ＡＩは暴走するのか」「人を傷つけるのか」ということだけど、よく「トロッコ問題」が例にあげられるよね。「ブレーキの壊れたトロッコが線路の上を暴走していて、その先の線路には5人が縛りつけられている。方向転換のレバーを引けば、5人は助かるけれども、方向が変えられた先の線路にはひとりが縛りつけられている。5人を助けるためにレバーを引いてひとりを犠牲にするのか」という問題。多数を助けるために、ひとりを犠牲にしていいのかという倫理観、道徳感が問われる。

また、一方が子供で、一方が老人という場合もあるよね。こういう場合、人間はどう考えるのか。老人は未来がないけど、子供は未来があるから死なせない方がいいのか。もし、この老人が重要人物だったらどうするのか。こういう判断は、どこまで行ってもわからない。

でも、ソフトにはアルゴリズム（問題解決のための計算方法）を入れなければいけないから、「子供は未来のある国の宝だから、老人から死なせていく」ということになるかもしれない。

竹中　そうですね。

村井　もし、ＡＩが「子供じゃなくて老人から死なせていく」ということを実行したとしても、それはまだ自我じゃないよね。アルゴリズムで決められたルーティーン。ところが、その判断をいろいろなところから学んでいくとどうなるのか。

例えば、将棋みたいに過去の棋譜から学べたら、どんどん強くなる。でも、過去の棋譜にも間違いがある。人間がやっているからね。ただ、途中で間違っていても最終的に勝つということを学んでいくとどうなるのか。トロッコ問題に置き換えると、途中で子供を殺しても最後に人類にとっていいことが起これば問題ないということになる。計算上は。それは自我なのか、人類にとって何なのか。

竹中　例えば、老人の腕時計が見えて、「この時計は高級だ。金持ちだから、殺したら面倒なことになる」という判断を一瞬でして、子供を殺すことを選ぶかもしれませんよね。答えのない議論をずっと悩んでいるわけですが、機械にとっては「白黒つけなくてはいけない」状況で、それを僕らが実装しようという段階に来ているわけです。

村井　まあ、そもそも「人を傷つけてはいけない」ということが、「ロボット工学3原則」にはあるわけだから、そういう状況になったら「人間に聞け」とか、「その先の判断はするな」というシステムを作っていくと思う。したがって、「AIの暴走はない」ということになるんじゃないかな。

竹中　AIプログラムどうしの将棋の棋譜が、人間のプロにも理解が難しくなっているということは聞いたことがあります。また「AIプログラムどうしで会話をさせていたら独自の言語体系を作り出して、内容が人間には読み取れなくなった」みたいな研究結果もありましたよね。そのように理解できない部分を許容できるかどうかを人間が決められる間は大丈夫だと思うのですが、理解できない部分の発生そのものに気づけないようになると良くも悪くも極端な内容や結果を生み出すものになっていくかもしれません。ただし「『人を傷つけない』というルールはあらゆる内容を凌駕するというルール」は設定可能で実装はそうなりそうな気がします。

暗号通貨で国がなくなる？

竹中　暗号通貨（仮想通貨）に関してですが、「暗号通貨が国を超えて流通すると世界中の通貨の価値がなくなり、最終的に国がなくなる」という話があります。インターネットの歴史の中では、暗号通貨は国によってずっと邪魔されてきました。日本ではビットコインなどの暗号通貨で得られた利益は雑所得になるため、最高で55％の税率がかかります。暗号通貨で利用されているお金が川のように流れているとすると、そのうち最大55％を国に流入させようとしているわけです。つまり、どんなに巨額の富を暗号通貨で得たとしても日本では半分は国に取られる。この状況では国はなくなりません。

また、その暗号通貨を持ったまま他の国に行くことも大変です。日本には移住したら、その時点で税金がかかる仕組みがある。

一方で、中国などで人民元を使っている人は、人民元は安定している通貨とは言えないので、暗号通貨を利用する人が多くなっています。この傾向がどんどん大きくなってくるとどうなるのか。ただ、世界は人民元だけで動いているわけではないので、円、ドル、ユーロとのバランスの中で、暗号通貨をどう位置づけるかというのは今後の国際社会のテーマだと思います。

村井 新型コロナで病院を狙ったランサムウェアのサイバー犯罪があったけれども、あの身代金は「ビットコインで払え」ということになっていた。なぜビットコインを指定してきたかというと、ビットコインだとお金の流れがつかみにくいから。どこに送金しているかもわからないうえに、どこでも換金できる。だから、誰が持っているか特定できない。足がつかない。だから国は暗号通貨が犯罪などに使われることが嫌だと考えている。それから、さっき日本だと税金がかかると言ったけど、それは換金するから課税されるんだよね。

竹中 そうですね。ビットコインで持っている間は課税されません。

村井 ということは、投機目的の使い方をするのではなく、ビットコインだけで生活をするのならば、普通の通貨と同じということだ。

竹中 そうですね。財布に入っている1万円と同じです。

村井 今、世界の金融業界が力を合わせて暗号通貨をきちんとコントロールしようとしているのは「犯罪に使われないようにしよう」ということ。世界の経済を担っているG20

（米、英、仏、独、日、伊、加、EU、露、中、印、韓、豪、ブラジル、メキシコ、南ア、インドネシア、サウジアラビア、トルコ、アルゼンチン）での大きな課題は暗号通貨をどうするか。もちろん、その答えはまだ出ていないんだけど「金融としての秩序を保ちつつ、システムとしての暗号通貨の便利さ、恩恵を受ける」という落としどころがどこかという議論をしている。

竹中　「テザー（Tether）」という暗号通貨は、発行元がドル本位で裏づけしていると言われていて、「1テザー≒1ドル」でほぼ安定しています。金本位制みたいに暗号通貨がドル本位制をやる、ユーロ本位制をやる、円本位制をやるというのは、ひとつの手だと思います。この方法で、既存の通貨に暗号通貨の利便性を付加することができる。

また、暗号通貨の問題点として、例えば「イーサリアム（Ethereum）」みたいな暗号通貨は、もともとは「流通が速い」「手数料が安い」ということで始まったにもかかわらず、今は決済を早くしようとすると追加手数料が必要になったりしている。しかも、それが「銀行の手数料より高いんじゃないか」というくらいになっている。これでは本末転倒です。G20で社会的な役割を論じることも必要ですが、まずは技術的に解決しなければいけない問題もあるのかなと思います。

村井　それは、コンピュータの暗号のアルゴリズムを動かせば動かすほど速くなるから、コンピュータサイエンスの研究領域でもあるよね。

一方で、アルゴリズムの中でそれをやっているから、中国みたいにファイアウォール（ネットワークへの侵入を防ぐシステム）でブロックされていると、ファイアウォールの遅延が計算できないので、ネットワーク遅延込みの測定では評価ができない。すると、中国で起こっているビットコインの世界とグローバルのビットコインの世界で違いができて、それが問題になる。これはビットコインの技術の問題ではないよね。

だから、みんなが気にしているのは、中国の「デジタル人民元」だと思う。中国がどういうルールで運用しているのか。国際ルールがしっかり決まっていれば、ある程度、透明性が出てくる。でも、透明性が失われるとそれだけ特異な動きをしていることになるから、普通のアルゴリズムとは違うことが起きる。それがいちばんの問題。

では、どうすればいいかというと、中国はG20に入っているのでG20の場で暗号通貨の話をするべきだと思う。「世界の金融を動かしている20カ国で暗号通貨の未来の話をする」というのが本来の目標。そのため、2019年に大阪で行われたG20で、議長国の日本は「（暗号通貨を支える）ブロックチェーン技術に基づく分散型金融システムのガバナンスに関する問題」を提起して、対話を強化する重要性について国際的な合意を得たわけだ。これは日本の金融庁はいい仕事をしたと思う。そして、今、ブロックチェーンに関する新しい国際的なネットワーク「ＢＧＩＮ（Blockchain Governance Initiative Network）」が動き始めている。

竹中　そうですね。マルクスの『資本論』では資本主義の先にあるのが共産主義だったわけですが、彼自身は情報のオープン／クローズの価値については言及していないはずで、それがまさに通貨の場合には問われているのだと思います。

インターネットに規制は必要か

村井　というわけで、技術が発展していないというのも確かにそうなんだけれども、犯罪や税金の問題などリスクがだんだん見えてきたので、国としては規制をかけようという方向に進んでいく。例えば、ドローンなどがそうだよね（２０１５年に首相官邸屋上で所有者不明のドローンが発見されたことをきっかけにドローン規制が本格化。現在は航空法によって「空港の周辺の上空、人口集中地区の上空、１５０メートル以上の高さの空域でドローンを飛行させる場合には国土交通大臣の許可が必要となる」などの規制がある。ただし、２００グラム未満のドローンはこの規制から除外される〈現在、１００グラム未満に規制強化が検討されている〉。また、２０２０年にはドローンの所有者登録を義務化する法律が成立し、今後、登録制度が導入される。さらにドローンの免許制度も検討されている）。

でも、リスクが見えてきたからといって、新しい技術の本質がわからないうちに規制をかけるのは、俺はあまり賛成できない。技術にともなったリノベーション（性能の向上）が阻害される可能性があるからね。

竹中　日本は特にそうですよね。危なそうだなと思ったら、とりあえずやめさせる。または、厳しい規制をする。原動機付き自転車のヘルメットは典型的ですよね。

村井　海外にはヘルメットが必要ない国もあるからね。

竹中　電動アシスト自転車にもいろいろな規制があります。

村井　北京などに行くと、ペダルを漕いでもいないのにすごいスピードでビューンと走っていく自転車があるからね。危なくてしょうがない。

竹中　日本でも、輸入した電動自転車だとそのくらいのスピードが出るものがたくさん走っています。でも、警察官もよくわからないから、なかなか取り締まることができない。

村井　それは、結構、重要なアナロジー（類比）かもしれない。つまり「インターネットを使うのに免許が必要だ。悪用した人には免許を更新しないようにしよう」という話がよく出てくるわけ。今、その規制をクルマにやっているけれど、クルマは主に「移動するための手段」として使われているよね。

でも、インターネットは「何が起きるかわからないもの」を作り出している。だから、クリエイティブな空間を阻害するような規制をするのは良くないんじゃないかという議論がある。よく「ナイフやピストルとインターネットは何が違うのか」と言われることがあるけれど、技術の複雑さや創造性が違うから、それを同じレベルで規制するのは慎重にならないといけないと思う。

竹中 ナイフとインターネットは、よく例えられたりしますよね。それで人が死ぬことがあると。でも、ナイフや自動車とインターネットを同列のテクノロジーとして議論するのはおかしな話です。プロバイダ規制法の実装など見ると、実態に合わせて本当に少しずつですが発達はしていると思います。

ユーチューブで人類は進化する？

村井 そういえば、自動車業界の人に「昔はクルマでモテた時代があったけど、インターネットができたおかげでモテる条件が変わって、今、若い人にクルマが全然売れなくなっちゃったんです」って言われたことがある。

竹中　今、モテる学生ってどんな感じなんですか？

村井　それは、かっこいいユーチューブ（YouTube）の映像が作れるとかじゃないかな。今だと、みんながリモートでひとつの楽曲を演奏するとか、そういうのがいいんじゃない？

竹中　ああ、僕も昔、作ったことがあります。モテませんでしたけど（笑）。でも、モテるからユーチューブをやるとか、お金を儲けるためにユーチューブをやるというのは、ちょっと残念ではありますよね。

村井　ユーチューバーがモテるというのは、画像処理とかをすごく工夫しているからなのかな。

竹中　画像処理技術でモテているのかどうかは微々たる要素だと思います。有名な人がさらに有名になる仕組みがあるので、それがモテにつながっているように見えます。が、それはさておき、この4、5年で画像処理技術はすごく発達しましたよね。

村井　それから、ユーチューブで不思議なのは、よく整体師の人とかが自分の秘術を惜しげもなくユーチューブで公開しているわけ。「肩こりを治すツボはここです」みたいに。

竹中　オープンソースになっていますよね。

村井　料理とかもそう。だから、困ったことはユーチューブを見るとたいてい解決する。「コンピュータのハードディスクはどう換えるんだっけ？」って困ったら、昔はマニュアルを読んでいたけど、今は「じゃあ、フタを開けてみましょう」って、全部、動画で説明してくれる。めちゃくちゃ便利。

竹中　それは、ユーチューブが広告を表示することで製作者にお金が入ってくる仕組みを作ったからでしょうね。テレビがＣＭを放送するというビジネスモデルをずっとやってきましたが、ユーチューブはそれをテレビの10倍くらいの速さで確立して「テレビはもう古い」という価値観を作り出しました。２０１９年にはテレビの広告費とインターネットの広告費が逆転して、ネットが上回っていますからね。

村井　その背景には「誰もが伝えられるようになった」ということがあるからだよね。例えば、昔は個人がビデオを作ってそのビデオをみんなに配ろうとしても、相手がビデオデッキを持っていなければ内容を見ることはできなかった。しかし、今はパソコンのブラウザやスマホのアプリなどでユーチューブを見ることができる。ユーチューブなどの動画プラットフォームにはお金を払っていないでしょ。プラットフォーム標準化が進むとまったく新しい産業や創造性を発揮する人が出てくるというのが、プラットフォームを作る側の面白さなんだよね。だから、ユーチューブは製作者に還元する。

竹中　長い動画の面白い部分や重要な部分、話題になりそうな部分を切り抜いてそこだけを短い動画にする「切り抜き動画」が最近は発達してきていますね。これも、オリジナルの権利者と切り抜いた人との間で、例えば「50：50の収益のシェアができる」というプラットフォームの機能があったので成立している新しい動きです。

村井　ユーチューブに限らずグーグルを見ても、例えばストリートビューを地図に利用するとか、翻訳を利用して動画に字幕をつけるとか、いろいろと新しいことをする人間が出てくるわけ。そうなることでプラットフォームが成長していくし、技術がコモディティ化してみんなのものになる。そういうことを繰り返していくことで、人類は先に進んだと思う。

使用量が増える電力をどう確保するか？

竹中　デジタル社会になると電気の使用量がすごく増えるわけで、今後、エネルギーをどう確保していくかという問題が出てきますよね。

村井　エネルギーの確保もそうだけど、やはり省エネも大事だよね。〝最適化〟がまだ全然できていないと思う。例えば、ここにコンピュータが2つあるけれども、それぞれ使っていない部分がある。その使っていない部分はムダに電気を使っている。処理のオプティマイズ（最適化）ができていない。

クラウドというのは、全部を集約してカスタマイズしているから、それだけでもかなりの省エネになっている。空いているリソースを上手く使えば、どんどん省エネできるんだ。クラウド化することでデータセンターのエネルギーを30％くらい減少できるのではないかという話もある。

そして、自然エネルギーの利用はすごく大事なことだけど、一方で光ファイバーがかなりエネルギーをくっている。光ファイバーはガラスだけど、コンピュータに接続する部分は金属になっているから、光から電気、電気から光に変換する時にどうしてもロスがあるんだよね。だから、ここをオプティマイズできれば30から40％の省エネになるのではないかともいわれている。そういうふうにいろんな部分で省エネしていかなくてはいけないと思う。

あとは、コンピュータが計算するためのエネルギーをどれだけ使わないようになるか。

量子コンピュータがどれだけ効率のいい計算をするかわからないけれども、今後の技術の進歩で明らかにエネルギー効率は良くなるはずだからね。

竹中　そうですね。例えば、今ビットコインをマイニングしている人たちが使っているグラフィックカードのリソグラフィ（半導体などに回路パターンを転写する技術）はまだあまり細かくなってないんです。だから、消費電力が大きい。半導体の線幅をナノ（10億分の1）メートルで表すんですけど、マイニングしている人が使っているのは12ナノメートルくらい。でも、アイフォン12などに使われている最新のものは5ナノとかになっている。12ナノと5ナノを比べると面積は4分の1以下です。流れる電子の量が単純に4分の1以下に減ります。今後も精細化は進みますから、より電気を消費しないという方向に向かっていきます。こういう物理と、アルゴリズム改良のようなソフトウェアの最適化が交互、あるいは同時に起こるはずです。

次世代に伝えたいこと

竹中　失礼な言い方かもしれませんが、村井さんの次の世代の人間は何をやるべきなんでしょうか。

村井　俺は「人間の望んでいること」や「解決したいこと」を社会の中で実現するのが、インターネットだと思っている。だから、例えば新型コロナのようなグローバルパンデミックが起こった時に「何ができるのか」をみんなで発想したり、実現したりする環境を整えていくことが必要だと思う。

竹中　といいますと？

村井　インターネットって「IPでつながっています」というところから、その先の状況はどんどん発展しているよね。「動画が自由にやりとりできるようになりました」「暗号化ができるようになりました」「ビデオコンファレンスを家族みんなが同時にできるようになりました」とか、そういう発展はサービスを作っている側はそのすごさや便利さに気づくけど、作っていない側の人たちは気づかなくてもよくて「自然にできるようになった」「簡単にできるじゃん」って思えることが大事なんだ。

竹中　いつの間にか生活の一部になっていると。

村井　生きている人間や社会が意識しないでインターネットの恩恵を受けられる。そして、〝人間がやらなければいけないこと〟〝自分のやりたいこと〟ができるようになる。そう思って俺らはこれまでやってきたし、それを今後もずっと続けていってほしいとは思う。

竹中　頑張ります。

村井　もうひとつ。今、「危ないな」と思うのは、インターネットがこれだけ生活の基盤になってくると、政府は「この国をどう守るか」「この国をどうコントロールするか」という責任から、インターネットにいろいろと関与してくると思う。

竹中　そうでしょうね。

村井　国連のヒューマンライツ（人権）の議論の中に「インターネットへのアクセスは人権」だということが入っている。ヒューマンライツとは「水が飲める」とか「健康になる」とか、生きるうえでの最低限の権利。だから、インターネットへのアクセスが人権だということになれば、国は誰もがインターネットにアクセスできるような環境にしなければいけないし、インターネットが使えなくなったら国のせいになる。国連は「インターネットは人権だ」ということになると、インターネットを作っている人たちは喜ぶと思ったみたいだけど、インターネットを作っている人間からすると「危険だ」と感じるんだよ。

竹中　国家権力がインターネットに関与してくるということですからね。

村井　そう。国や政府は時に間違いを起こすこともある。インターネットは地球上の人間をつなぐものだけど、そこに国というものがあまりに強く関与してくると、本来の〝地球上の人や社会のつながり〟というインターネットの空間が分断されたり、制御されたり、誰かの支配下に置かれる可能性が出てくる。

竹中　はい。国境によってインターネットが分断されるのは本末転倒であると。

村井　国連に任せておいたら発言力のある国の思い通りになるだろうし、G20に任せたら計20カ国・地域で決めるかもしれない。もし、国が関与する、国に任せるということになったら、ある国の部分は自由な空間だけれども、ある国の部分は自由な空間でなくなるかもしれない。また、自由空間を守っている国と守らない国で戦争が起こるかもしれない。

竹中　「国」に縛られた発想によってインターネットが変質する可能性があると。今のうちに何とかしないといけませんね。

村井　そう。そして、何かおかしな方向に行った時にインターネットの自由な空間を守るのは、技術を理解する者の責任だと思う。なぜなら、技術がインターネットを作ったから。自由な空間を守ることは技術者の使命だと思う。

竹中　インターネットテクノロジーのスペシャリストや、それを志す人がインターネットの意義をきちんとわかってくれるのか。僕らもきちんと説明していかなければいけません。

村井　次の世代へのメッセージとしていちばん大きなことは「インターネットは人類が作

ったグローバルな空間」だということ。そして「その空間がどう発展していくか」は作っている人にかかっている。地球でただひとつの自由空間をテクノロジーで守っていく、発展させていくことは難しいかもしれないけれど、ぜひ、頑張ってほしい。

「人間と地球」という考え方

竹中　次の世代は、その意志をわかってくれると思いますか？

村井　大丈夫だと思うよ。ベネフィット（恩恵）があるから。「人類がみんなつながっている」ということから生まれる利益や恩恵が必ず出てくるから。そして、折に触れてそれを意識することがあるだろうし、「それが大事だから頑張ろう」という人が出てくるはずだから、あんまり心配していないんだよ。

竹中　村井さんっぽい考え方ですね（笑）。

村井　だってさ、インターネットの前には電話があったんだよ。誰かとつながるなら電話でいいじゃない。でも、インターネットという空間ができると「これは便利だな」と思うわけでしょ。「この空間を大事にしたいから頑張ろう」という人が必ず出てくると思うんだよ。

竹中　今、日本は政府や行政がいろいろなオペレーションを行っています。それは「国権」という現在地球上でいちばん強い権力を行使しているということです。一方で、別の国も同じ権力を持っている。地球上では「日本対アメリカ」「日本対中国」など国対国という構図で、強権力と強権力が同時に存在するということになっている。そこにインターネットという技術が生まれて、例えば「アラブの春」など国権を揺るがす大規模な抗議活動が行われて、国権の少なくとも一部に変更を加えることができた。こういうことが何回も起こっている。そのうちにインターネットの価値を国も民衆もわかってくると思うんです。そして、科学的アプローチを身につけていてインターネットでつながって恩恵を受け、大事さを理解した人の間では「戦争は良くないよね」という共通の価値観が自然に生まれると僕は思っています。それは何十年後か、もしかしたら100年後になるかもしれません。でも、そうなった時には過去にいちばん強い権力を持っていた国というものの存在が薄れて「地球上の人間のつながり」というものができる。そして、地球上の人間が一丸となって「太陽エネルギーをもっと効率良く使いましょう」「みんなで宇宙開発をしましょう」という日が来るんじゃないかと思っています。

村井　そうだね。

竹中　これは、たぶん「インターネットでつながっている」という体験をしながら仕事をしたり、物事を考えたりして得られる価値観です。そして、その価値観を持った人が政府の中枢に入ったり、国会議員になったり、国際団体の中で活躍することで「戦争のない地球」の誕生が早まるんじゃないかと思います。

「知」や「情報」を共有する空間

村井　これからは「人間と地球」ということを意識するようになるんだ。大昔、交通手段もなく、情報も限られていた時は、自分の村のことしかわからなかった。でも、今はインターネットもあるし、他のコミュニケーション手段もあるから「人間と地球」との関係をいつでも意識できるようになっていると思う。中国や北朝鮮のようにインターネットを遮断する仕組みもあるけれども、抜け道はいろいろあるよね。

竹中　そういう切断回避技術がインターネットの技術的本質ですもんね（笑）。

村井　2010年にノーベル平和賞を受賞した中国の人権活動家・劉暁波（りゅうぎょうは）さんは、中国政府によってずっと投獄されていたけれども、彼の意見を発信できたのはインターネットがあったからで、「個人の意見を共有できる」ということが重要なこと。何が正しくて何が正しくないかではなくて、意見を共有できる空間があるということがインターネットの大きな財産なんだ。

竹中　そうですね。

村井　そして、今度は地球という視点で見ると「地球で何が起こっているか」が共有できる。例えば「北極の氷が全部溶けてしまった」とか「南極の微生物が生態系にどういう影響を与えているか」ということもわかる。さまざまなセンサーが地球をスキャンしている状態だよね。「地球と人間の生活の関係はどうなのか」ということがわかってきている。みんなが気づき始めている。その根っこには、全部インターネットがある。

誰でも使える、どんな目的でも使えるデジタルコミュニケーションの基盤があるから、地球の温暖化などを把握していくことができるし、人類共通の課題をどうすればいいのかも考えられる。知を共有したり、情報を共有したりする空間がインターネットなんだ。それが国に妨げられないで発展していかなくてはいけない。

竹中　今はフェイクニュースに代表されるような〝ノイズ〟を流すことで得をする仕組みや社会的構造があると思うんです。だから、これからの課題は情報の純度をどれだけ高めることができるか。わかりやすくいうと、池に毒を流すやつが出てきたから、その毒をどうやって除去するのか。その毒を除去する技術は、今後何百年も使えるような基本的なものになると思うので、プラットフォームとしてのインターネットの完成度が上がるはずなんです。それを次の世代で考えていかなくてはいけません。50年後に「昔は嘘のニュースを流しても捕まらなくて、国や軍隊も右往左往していたんだって」と笑い話になっていてほしい。

今は、アメリカの大統領選で大騒ぎしていた人たちが書き込んだものをフィルタリングして、それが「数人くらいの少人数が扇動していたのでは」というところまで絞り込める技術ができたようです。そういうところまで、もう来ているんです。それが、言論の自由や言論統制の側面から考えた時に良いことなのか悪いことなのかは難しい議論ですが、その技術をどうするかも次の世代が考えていかなくてはいけませんね。

「これをインターネットと呼ぼう!」

竹中　そういえば、村井さんは覚えているかどうかわかりませんが、僕はハッキリと覚えていることがあるんです。村井さんが「これをインターネットと呼ぼう！」と言った時のことを。

村井　うーん、覚えてないな（笑）。

竹中　僕がSFCの湘南藤沢メディアセンターの入り口あたりで「竹中、さっき英語で会議していた時に、ネットワークをつないだネットワーク全体のことをインターネットと呼ぶことにした！　"Inter Net"ではなくて"Internet"だ！」って教えてくれましたよ。うれしそうでした。

村井　たぶん、そうだったと思う。インターネットという言葉は、ARPANETが大学のコンピュータを相互につなげた時に「アーパインターネット」という呼び方をしていたんだけど、世界と自由につながることがインターネットだとすると、その時だと思う。

竹中　確か、93年だったと思います。

村井　ARPANETだけじゃなくて、アメリカにもいくつかのネットワークがあって、それが複数同時につながっていく経験をしたんだよ。どこに行くのも自由で、何でも見られる。「これが本物のインターネットだ」って感激したんだろうな。

竹中　インターは「〜の間」という意味ですからね。それまでは「ARPA間のネット」という英語的な使われ方をしていたのに、突然「インターネット」という一般名詞になった。

村井　そう。だから、みんながつながった時にインターネットができたんだよ。よく「インターネットをアメリカから持ってきたのは村井先生ですよね」って言われるんだけど、それにはすごく抵抗感がある。それぞれのネットワークをみんなでつないだからインターネットができたんだよ。そういう意味では「俺は日本のネットワークをずっと動かしていたぞ」と。日本のネットワークをアメリカのネットワークとつなぐと、いくつかの海外のネットワークともつながるわけ。そういう経験をしていたから、「インターネットをアメリカから持ってきた」のではなく、どうやって相互接続しようかと考えていた。TCP／IPを使うということで合意したけど、それがたまたまアーパネットのプロトコルだっただけ。厳密にいうと技術そのものは92年にはできていたけど、それを商用含めて動かし始めたのが93年くらいだったと思う。

竹中　88年のネクストキューブ（NeXT Cube）というコンピュータのプレゼンテーションで、スティーブ・ジョブズがすでに「インターパーソナルコンピューティング（人と人をつなぐコンピューティング）が未来の鍵だ」って言っていましたからね。ジョブズはコンピュータどうしは当然として、その先で人間が〝つながる〟ことが重要だと感じていたんでしょうね。

村井　そうだろうね。

特別章　〝天才プログラマー〟と呼ばれた男

25年前に行っていた「坂本龍一インターネットライブ中継」

――（編集部、以下略）この章では村井さんとの対談を離れて、〝ネット創世記の中心人物〟〝天才プログラマー〟といわれる竹中直純さんが、どんな人物なのかをおうかがいしたいと思います。

竹中　お手柔らかにお願いします（笑）。

――まず、コンピュータに興味を持ち始めたのはいつ頃ですか。

竹中　僕が小学生の頃（1978〜79年）に『スペースインベーダー』というシューティングゲームが全国のゲームセンターで大人気だったんです。それがコンピュータというものを初めて意識した瞬間ですね。実は、僕の出身地である福井県では小中学生がインベーダーゲームをすることは禁止されていて、「ゲームセンターに立入禁止」の条例があったようです。でも、うちの親は僕がやりたいということに関しては寛容で、インベーダーゲームをやらせてくれた。1回100円と小学生にとっては高価なゲームだったので1日に何回もできませんでしたが、とても楽しかったんです。その時に「これはどうやって動いているんだろう」と興味を持ちました。

――当時、すでにコンピュータの知識はあったんですか?

竹中　いや、ありません。でも「コンピュータでブラウン管に映像を映し出しているんだろうな」ということは、何となく感覚でわかったんです。そして、昔、駄菓子屋さんに固定されたクルマが布に描かれた道を走っていくアナログのゲームがあって、きっとコンピュータのゲームも原理は同じだろうなと思っていました。アナログのクルマのゲームは布の道を無限に作ることはできないから、ベルトコンベアーのように繰り返す布を使っている。コンピュータの中も同じだろうと思いました。それから、インベーダーゲームってUFOを撃つと得点が50点だったり、300点だったり幅があるんです。「これは何でだろう」と思って他人がやるのを見ていたら、15発目または23発目の周期になっているんですね。そんなことを考えていました。

実は、ここだけの話ですが、僕、ゲームセンターで補導員に何回も捕まっているんですよ(笑)。もちろん、学校をサボってやっているわけではないし、きちんとお金を払ってゲームをしていたんですけど、学校の先生には何度も怒られました。

——中学生の頃は？

竹中　中学生になるとシャープの「ＭＺ－80Ｂ」（１９８１年発売）というパソコンを買ってもらいました。そして、ほぼ毎日ではないですけど夜中にパソコンを触っていました。

これは僕らの世代（１９６８年前後の生まれ）で、パソコンに興味があった人は絶対にやっていると思うんですが、パソコン雑誌に載っているプログラムコードを打ち込んでいたんです。打ち込み終わるとゲームで遊べるんですね。ベーシック（ＢＡＳＩＣ）という言語のプログラムが多いのですが、きついやつだと８０００語とか１万６０００語の16進数（数値）をひたすら入力する。スピードアップのために友達と「ハチ、サン、ニー、ニー……」などと読み合わせて、正確に入力できていると最終的にはゲームができる。最初はそうした提供されたままのゲームで遊んでいましたが、そのうちに例えば「『パックマン』（１９８０年発売のゲーム。モンスターに捕まらずに迷路の中のドットを全部食べるとラウンドクリアとなる）の自機（自分の黄色いキャラ）が３つしかないのを10にしたり、99にしたりできないかな」と考えるようになった。

すると、「パックマン」のプログラムを解析したくなったんです。幸いなことに当時のシャープのコンピュータマニュアルには機械語の命令表がついていた。例えば「Ｃ３はプログラムを2バイト後ろに書いてあるアドレスにジャンプさせる」「CDはC3と同じだけど飛ぶ前のアドレスを覚えておいて処理が終わったら元の場所に戻る」みたいなことが書いてあったんです。だから、それを全部読むとゲームの局所局所の動作がわかる。そして「ここで自機を3にしているから、この3を10（16進数で 0x0A）に書き換えれば10機になる」とわかるようになる。

この時にゲームがただ遊んで楽しむものから、改変して楽しむものに変わりました。そして、これはとんでもなく面白いものを見つけたぞと思って、そこからはゲームよりもどう動かすかに興味がわいてきたんです。

――そして、高校生ですね。

竹中　はい。でも、高校時代は3年間バンドに夢中になっていたので、パソコンは家で思い出した時にたまにやるくらいでしたね。まだCDがない時代だったんですけど、「ブー」っていうビープ音がパソコンで出せたんです。この音はONとOFFを切り替えることで出ているのですが、これを高速にするとあらゆる音が出せるというのがパルス変調（pulse modulation）の考え方で、当時の僕は「1秒間に1000回スピーカーを駆動させたらどうなるだろう」というようなことをやってました。

ＣＤは１秒あたり４万４１００回、音の強さを調節できるのでＰＣＭ（pulse code modulation／パルス符号変調）です。しかし、当時はＯＮ／ＯＦＦしか切り替えられなかったので、厳密にはＰＤＭ（pulse density modulation／パルス密度変調）という方式で、ＣＰＵも非力だったのでせいぜい１０００回くらいしか切り替えられませんでしたけど。

僕はバンドでドラムの担当だったんですが、ドラムって家では近所迷惑になるので練習ができなかったから時間が余ってたのかも（笑）。

――ということは、パソコンは大学に入ってから本格的に始めた？

竹中　本格的というか、アルバイトですね。大学生のアルバイトで時給が高いものに家庭教師がありますが、１日２時間で週に２回ぐらいしか働けない。時給５０００円でも週に２万円ですよね。でも、パソコンの仕事をすると時給２０００円でも、１日に８時間以上普通に働ける。すると、週２回でも家庭教師より稼げるんです。しかも、自分が中学生や高校生の時、夜中にやっていたような楽しいことでお金がもらえる。こんな素晴らしいことはないと思って、パソコン関係の会社で週に２、３日バイトを始めました。

バイト先ではMS－DOSで仕事をしていたんですが、20歳の頃（1988年）に大学のパソコンクラブに顔を出すようになったら「マックはすごいよ！」ということを同級生や先輩から聞かされたんです。そして『インサイドマッキントッシュ』という全部で15冊くらいになる英語の本があって、それは例えば「〝長方形〟をどう定義するか」「〝塗る〟という動作はメモリ上ではどのような現象として捉えられる」「〝斜めの線を引く〟ためには微分を駆使し、効率化するためにはこういうことをしている」などの解説が書いてあった。プログラマーはこういうふうに考えているのかと勉強になりましたね。また、そのようなコード解説の前には今でいうUX（ユーザーエクスペリエンス／ユーザーの経験）についての哲学が分厚い1章を使って説明してありました。「すべてのインターフェイスには理由がある」という強烈なメッセージに「かっこええなー」とやられましたね。

僕は大阪府立大学の総合科学部の西洋文化コース（哲学）に入学したので、バリバリの文系なんです。そして哲学でルネ・デカルトやゴットフリート・ライプニッツ、科学思想史でアルベルト・アインシュタインなどを学んだんですけど、第3外国語のドイツ語の単位を落としてしまい4年生になれなくて、時間切れもあって自主退学をせざるを得ませんでした。その時は、すでにSFCにいたので……。

——大学時代に村井純先生と出会っていたわけですか？

竹中　というか……、大学2年生のある日、自分の大学で市民講座をやっていたんです。その講座の講師は「兵庫県に大学を中心とした街を造る。道路などのインフラも造る。そして、これからはネットワークだ」と言っていた。だから、プログラミングではなくてパソコンを使って実務をやってみたいと思って、講座が終わった後に「そんなに素晴らしい計画があるなら、僕も手伝いたいです」と言ったら、「じゃあ、今すぐ来い」と大阪市北区扇町にあった「アクセス研究所」というシンクタンクの事務所に連れて行かれました。行ったら「マッキントッシュ（Macintosh）Ⅱfx」なんかが「ラディウス（RADIUS）」のWYSIWYG（What You See is What You Get／文字や表などの仕上がりを入力しながら確認できる）対応のグラフィックボード付きで全部揃っていて衝撃を受けました。そして、その日からアクセス研究所で働くことになり、徹夜で「アルダス・ページメーカー（Aldus PageMaker）」を使って200ページの資料を作るとかをやっていました。そこで出会ったのがＳＦＣの環境情報学部の先生でメディアアーティストの藤幡正樹さんと奥出直人さんでした。

――村井先生ではなかったんですね。

竹中　そうですね（笑）。アクセス研究所でしばらく仕事をしていたんですが、バブルの崩壊とともに事務所が閉鎖。僕は大阪でフリーランスのプログラマーになりましたが、その後、藤幡さんから電話があって「ＳＦＣのメディアセンターに来ないか？」と誘われました。それが93年です。メディアセンターは当時、日本のインターネットの海外トラフィックを集約する場所である藤沢の海岸の至近距離にあるノードだったんです。まあ当時のインターネットの中心ですよね。そして、藤幡さんからのオファーは「学生にビデオ編集やＤＴＰを教えてほしい」ということでした。

ＳＦＣでは、授業でやるリサーチやレポートなどを積極的にビデオでプレゼンさせていたんです。でも、素人編集で退屈なビデオを何本も授業で見るのは苦痛だし、見てる学生も寝てしまうから、学生にビデオ収録や編集の仕方などを教えてほしいということでした。図書館という名称を敢えてメディアセンターにしているような施設だから、当時でいうマルチメディア的な知識が全部ある人を雇ったということだと思います。そういう人間を雇うからにはビデオ編集だけをさせておくのはもったいない。だから、ネットワークやデータベースの知識のある人が条件になったんじゃないかな。実際、面接では最初からネットワークの知識をたくさん聞かれました(笑)。

──その時の立場は?

竹中　慶應義塾大学湘南藤沢メディアセンターの職員です。ただ、所長からは役割的には技官だと言われました。

当時は「アミーガ(Amiga)」というコンピュータがあって、拡張ビデオボードが入っていると当時のコンピュータとしては考えられないくらい高度な編集ができた。『ウゴウゴルーガ』(フジテレビ系で1992年から94年まで放送)という子供向けの3DCG番組は、そのアミーガで作られていたんですが、プロが地上波で流す番組に使えるレベルだったということです。さらに英語だとたくさんのフォントがあって、テロップも入れられる。任期の後半はノンリニア編集といってテープを使わずSGIのコンピュータだけでビデオ作品を編集するシステムを導入し、教えていました。

藤幡さんはCGアーティストでもあったので、最新のアルゴリズムやそれに基づいたグラフィックソフトを学生に使わせようとしていたのですが、急に渡されても学生は何もできない。だから、初歩的な使い方を僕が教えていたんです。「アドビ(Adobe)」の創立者のひとりでジョン・ワーノック（John Warnock）という人がいるんですが、この人の名前を冠した「ワーノック（warnock）」という確か座標データを入れると陰線処理をして画像にしてくれるというコマンドがあって、学生に使い方を教えるみたいなこともやっていました。広い意味での画像処理のお手伝いとかそんな感じですね。

それで、ビデオ編集もする、LANや機材調達の手伝いもする。そういう小器用な人間がいるということで、村井さんが「お前は、WIDEプロジェクト（Widely Integrated Distributed Environment project／インターネットに関する研究・運用プロジェクト）の人間だよな」（WIDE内での「お前」には親しみのニュアンスがある）と強引に巻き込まれた感じです（笑）。

SFCは、その頃すでにインターネットにつながっていたので、僕は自分のホームページ、いわゆる〝ようこそページ〟を作って日記みたいなものを書いていました。当時はインターネットが始まったばかりで見るものがあまりなかったんです。だから、個人の日記みたいなものが横につながるのがすごく面白かった。学生や研究者がホームページを自由に作れるようになっていたので「日記」的テキストが初期ウェブでいちばん集まっていたのはSFC周りじゃないでしょうか。

そういう環境だったので、『ヤフー（Yahoo!）』の立ち上げの時期に「日本の相撲部屋にはこういう力士がいて成績はこうです」みたいな情報を書いている学生がいて、ヤフー創設者のジェリー・ヤンから連絡がありました。「この相撲のページをヤフーのディレクトリに入れたいのですが、いいでしょうか？　私はすごく相撲が好きで、2台あるヤフーのサーバの名前を曙（akebono）と小錦（konishiki）にしています。どうか認めてください」といった内容のメールでした。それで、その学生に確認を取ったりしていたんです。ですから、ヤフーの初期のコンテンツにはSFCがすごく貢献しているんです。そして、その初期の窓口が僕でした。WWWが新しすぎてオフィシャルに誰が担当って決まる前に興味を持って実験してた人が流れで担当になるっていうことは、当時は「WWWあるある話」でした。

――その頃、村井さんは何をしていたんですか？

竹中　村井さんはマルチキャストやモバイルIPなどの策定を一生懸命やっているように僕からは見えました。その頃に村井さんから「俺は下（インフラ面）をやっておくから、お前は上（コンテンツ）をやっといてくれ」と言われたことがあるんです。「お前、こっち（下）にいるのもいいけど、上に行けるのならそっちをやってくれよ。上をやれるやつは少ないんだから」って。もちろん、村井さんは下ばかりやっているわけではないし、僕も上に専念するわけでもなく、お互いがいい感じで分担しているという意識はありましたね。

――村井さんは竹中さんに「コンテンツは任せた」という気持ちだったんでしょうかね。

竹中 ハッキリと言われたわけではありませんが、そういうニュアンスはありました。もちろん僕ひとりに任せたはずもないと思います。でも、僕はSFCで最終的にはメディアセンターが関係するほとんどの会議に呼ばれて、機材調達時の値引き交渉などもしなければならなくて疲労困憊だったんです。期待されているのはよくわかりましたし、それに応えたい気持ちはありましたが、「それ僕の仕事?」みたいなことが重なったんですよね。それで契約更新をしないで、SFCメディアセンターの職員は2年で辞めてしまいました。ただ心はWIDEの人のままでした。

その後、1995年4月から日本たばこ産業（JT）の次世代通信研究館にシニアリサーチャー（主任研究員）として呼ばれて、半年後くらいにSFCにネタ探しに遊びに行ったんです。すると村井さんが「おう、久しぶり」みたいな感じで大学院の中で話しかけてきて「来年（96年）インターネット上でエキスポ（Internet 1996 World Exposition）をやるんだって。それで日本も参加しようと思っているんだけど、何かいいネタ探してくれよ。お前、コンテンツ担当だろ？」って言われた日があったんです。

まさにその日の夜、藤沢から東京に戻って、アクセス研究所時代から世話になってた桝山寛さんと打ち合わせをするために目黒の事務所に行きました。テーマも知らされていませんでした。「っちーす」って感じで会議スペースまで歩いていったら、いつもの薄暗いスペースで3人が話していて、ふたりは知らない人でした。誰と話しているのかなってよく見たら、ひとりはあの坂本龍一さんでした。びっくりしつつ、僕もその輪に入ったんですけど「インターネットを勉強したい。何か可能性があると思っている。インターネットを使って何かできないだろうか？」って坂本さんが言うんですよ。

こっちは「エキスポのネタがないから探せ」って、午前中に言われているじゃないですか。それで坂本さんが「ライブとかできないのかな？」って聞くから「それ、インターネットエキスポでやりません？」って話したら、「おー、やるやる」って即答でした。

――その頃、インターネットでライブをやっていた人っていたんですか？

竹中　1994年にザ・ローリング・ストーンズがライブを配信したのが有名です。その後、坂本さんより前にインディーバンドがやったみたいなんですが、詳しい記録が残っていないんです。

それで、その話をした時はちょうど坂本さんがツアー中で、2カ月後に「日本武道館でライブ(『坂本龍一D&L Tour '95』)があるから、それをインターネットで生中継しよう」ということになりました。

——ビデオで撮って流すのではなくて、生中継ですか?

竹中 そうです。だから、時間もなくて死ぬほど大変でしたよ。それに当時の武道館にはインターネットの「イ」の字も設備がないわけですから。地下の控え室の窓からケーブルを出して、武道館の敷地内に急遽仮設したパラボラアンテナで衛星を経由してSFCに送って、それをSFCでマルチキャストにして送信したんです。SFCは当時、世界のインターネットのハブのひとつだったので、それができたんです。

——生中継って怖くなかったですか?

竹中 超怖かったですよ(笑)。どこか1カ所でもトラブルがあったら配信がストップしてしまうので。でも、当時はそれでもどこか牧歌的だったんですよね。「何とかなるでしょ」みたいな感じで。それで研究者の間では「リュウイチがコンサートを丸ごとインターネット中継するってよ」って広まって、世界中で150人くらいの人たちが見てくれました。

――新型コロナの影響で、ライブ配信が注目されていますが、その先駆けですね。しかも、約25年前。

竹中　そうですね。配信側ではWIDEの全面協力をはじめとしたスゴい人たちが集まってくれました。中身はストリームワークスというMPEG（エムペグ）ベースのシステムで、1・5メガで生中継を全世界に届けたということになります。圧縮の効率も悪く画質も音質も今だと考えられないくらい原始的ですよ。でも、インターネット1996ワールドエキスポのプレイベントとして大成功でしたし、インターネットの歴史的にもエポックメイキングな出来事でした。そして、96年8月にインターネットエキスポ開催中のイベントとして、やはり坂本さんの『Ryuichi Sakamoto Trio World Tour 1996 Internet Live』をやりました。この時は研究者だけじゃなくてインターネットに接続できる環境を持った一般の人にも参加してもらいました。タイミング的には「ウィンドウズ95」が日本で発売された後ですから、劇的にインターネットに接続できる人の数が増えていたんですよね。そして、97年1月に坂本さんの『Ryuichi Sakamoto Playing The Orchestra 1997 “f” Internet Live』をやったんですが、この「f」のツアーではかなりレベルの高いものができていました。「f」では配信を見ている観客が拍手できたんですよ。

――拍手？

竹中　ステージの後ろにモニターがあって、ボタンを押すと「f」という字に変換されて、画面が「f」で埋め尽くされるんです。そういうエフェクトを拍手のように使おうと思ったんです。他にもライブ情報のウェブメニューのひとつに掲示板があって、そこにテキストを入力するとすぐにステージのスクリーンに基本的にはそのまま流れる。「MaiLED」という名前のシステムでしたが、光量の問題で結局レーザーを使ったのでLEDは関係なかった（笑）。最初はみんなビビって使ってなかったんですけど、観客の誰かが「テスト」と流れみたいな文字を入力すると本当にステージ背景のスクリーンにでっかく「テスト」と流れたので驚嘆していました。そして、慣れていくとツアーの最後には、観客が「ライブ後、時計塔周りに集合」みたいな連絡に使ったりもしてました(笑)。

――それ、ニコニコ生放送みたいですね。

竹中　原型ですね(笑)。坂本さんってすごくチャレンジャーなんですよ。「拍手とかできないかな？」みたいな発想をくれて、ステージに少し影響が出そうだけれども面白そうなシステムを提案したらすぐに認めてくれました。しかも、曲の演奏中もオープンにし続けた。いたずらして曲中にツアー名の「f」を出そうと思えば出せたし、MaiLEDのテキストも流せたんですけど、ほとんど悪用とかいたずらはありませんでしたね。コンサートを楽しんでいる人たちがそれだけ真剣に見ているということで、リアル会場の観客と同じようにネットの向こうの観客もみんな真剣なんだなと身を以て体験できました。公序良俗に反することだけは防ごうと前処理するフィルターシステムは作ってあったんですが、実際に引っかかったのは全日程で10くらいしかなかったような記憶があります。

――坂本さんのインターネットライブはいつまでやっていたんですか？

竹中　99年の「LIFE」までやっていました。LIFEでは、ドイツとアメリカと日本で地球規模の45メガbpsのネットをそのために作って、遅延時間を整えるシステムも自前で作ったりしました。LIFEでのそのような大掛かりな準備が大変すぎたのと、さすがに毎回ツアーについて行けないとようやく気がついた（笑）ので、一旦離れました。

ちなみに、95年の坂本さんのインターネット中継の成功を見て、いろんな会社が「ネットライブがビジネスになる」と思い込んでミュージシャンと一緒にネットライブを始めたんですが、自分で言うのも何ですが僕らほど上手くできるところはありませんでした。なぜかというと、ライブはパフォーマー本人は当然として、音響や照明、舞台監督などのチーム全員が一緒に作り上げていくものだからです。インターネットはライブ全体から見ると特別なものではなくて、チームの一要素です。あくまでもアーティストの表現を手助けするもの。みんなで良いライブを作り上げようという意識が僕らには強くあったから、ライブの現場に受け入れてもらえたんだと思います。初期にはオマケみたいに呼ばれて「映像と音声をそのラインで出しとくからストリーミングしといて」みたいな他社の現場がよくあったと聞いています。そんなオマケ扱いではその感じがお客さんに伝わってしまうし、上手くいくわけがない。そこから20年以上経って世の中がインターネットに慣れて、さらに新型コロナウイルス感染症によって半ば強制されて、ようやくネットライブがビジネス化できつつあるのが現状だと思います。

——作家の村上龍さんともお仕事をされていますよね。

村上龍の小説の有料配信サービス

竹中　はい。坂本さんと村上龍さんはとても仲が良いんです。それで、村上さんがインターネットで連載小説を書き下ろしたいということになって、僕は97年に『tokyo DECADENCE』という坂本さんと村上さんがプロデュースする有料サイトを作るお手伝いをしました。そこでは、村上さんが「インターネットでしか読めないような作品を書きたい」ということで『THE MASK CLUB』（2020年、幻冬舎文庫）というエロティックな小説を連載していました。また、坂本さんが作曲した音楽もそのサイトで聴くことができました。

一方で、村上さんの連載を読んだり、坂本さんの音楽を聴いたりするためには、今でもありますが「ビットキャッシュ（BitCash）」というインターネット用のプリペイドカードで決済する仕組みにしたんです。確かビットキャッシュで決済できるサービスの第1号がこれです。

——電子書籍リーダー、アマゾン「キンドル（Kindle）」の発売が2007年ですから、その10年前ですよね。本格的な小説の有料配信サービスって〝日本で初めて〟と言ってもいいんじゃないでしょうか。

竹中　きちんと調べていないのでわかりませんが、当時としてはかなり早い方だと思います。今みたいにリレーショナルデータベースが手軽に使える環境ではなかったので、認証や決済、会員やコンテンツ管理システムなどすべてを書き下ろしました。

——そういえば、竹中さんは村上龍さんの小説『希望の国のエクソダス』（2007年、文藝春秋）の主人公のモデルにもなっていますよね。

竹中　主人公のモデルが僕だけかどうかはわかりませんが、執筆に協力はしています。村上さんから「インターネットのことについていろいろ聞きたい」と連絡があって、おいしい中華料理をごちそうになりながら「仮想（地域）通貨が成立するとすればどのような社会的条件が整った時だろうか」とか「学校でインターネットが使われるとしたら、どんな感じになるか」「教科書じゃなくインターネットで学習した学生はどういう人間になるか」

などについての話をしました。

――そんな竹中さんから見て、現在の電子書籍の状況はどのように見えるんですか？

竹中　楽になりましたよね（笑）。それは「ＥＰＵＢ（イーパブ）３」という電子書籍の規格が２０１１年に国際標準になったからです。

ＥＰＵＢ３になる前、２００８年頃に村井さんと電子書籍について話したことがあるんですが、その頃のＥＰＵＢは「ＥＰＵＢ２」という段階で横書きの「横組み」しか対応していませんでした。でも、日本の書籍は縦書きの「縦組み」です。他にも「ルビ（ふりがな）」やその文字を強調したい時に文字の右側につける「傍点」など日本語独自のルールが山ほどある。そこで、そうした「日本独特の書式を表現できるフォーマットを作ろう」ということで、村井さんや多くのエンジニアがＥＰＵＢ３の参考になるシステムを作りました。そして、国際電子出版フォーラムで縦書きなどが可能になったシステムが受け入れられ、標準化された。これが大きいですよね。

だから、今フォーマットはできています。あとは中身です。現在の電子書籍は、書きたいことがある人が書いている状況。フォーマットができているから、それなりに形にはなっていますが面白いかどうかは別問題です。個人的には、まだこのフォーマットを活用する人間側の仕組みが整ってない気がしています。

紙の書籍はほとんどの場合、編集者が介在します。面白いかどうか、商品としての価値があるかどうかを客観的に判断してくれる。フォーマットに流し込む内容部分の精査、ブラッシュアップのノウハウを出版業界は100年以上かけて整備してきています。現在の電子書籍は、その部分を取り込まなくてはいけないと思います。

また、紙の書籍を出している出版社側も考え方を改めなくてはいけない部分があります。質の高い編集部分は電子だろうが紙だろうが共通なので、そのコストは変わらない。電子形式だと流通コストはかからないのでその部分のコストは限りなく低くできる。つまり、電子書籍はもっと低価格で販売できる。極端なことをいえば、著者への支払いと編集費、プロモーション費にどれだけ利益を載せるかだけです。個人的な感覚では、読者は1500円の紙の書籍と500円の電子書籍のどちらを選ぶのか。1500円のうちの1000円差を突きつけられて初めて真面目に紙の束縛から逃れられる気がします。出版社は、利益を多めに取れるなら取っておこうと電子版の価格を紙に揃えて高めに設定していることが多いけれど、それだと紙の本のメリットが電子版を上回り、電子出版市場の発達スピードが鈍る。長い目で見ると逆に自分の首を締めるような結果になっていくのではないかと心配しています。

音楽の定額配信サービス

――インターネット掲示板「2ちゃんねる」の創設者ひろゆき（西村博之）さんとは、ウェブサービス開発&コンサルタント企業の「未来検索ブラジル」で一緒に仕事をされていますよね？

竹中　はい。2001年に『MACPOWER（マックパワー）』（1990～2010年、アスキー）という雑誌にコラムを連載していて、その連載で対談した時に初めて会いました。当時、インターネット掲示板の盛り上がりは「あめぞう」から「2ちゃんねる」に移っていたんです。それで話の中で、2ちゃんねるの検索システムは精度が低いものばかりだったので「ちゃんとしたものを作りましょうか？」ということになりました。

最初はNTT-Xの「goo」という検索系ポータルサイトと同じ「eva」という検索エンジンを使っていたんですけど、その後、2003年にひろゆきと一緒に「未来検索ブラジル」を設立して、NTTの研究所にいた森大二郎さんが移ってきて「Senna

（セナ）」という検索エンジンを開発しました。この検索エンジンの何がすごかったかというと、これは検索エンジンを作っている人じゃないとわかりにくいと思うんですが、テキストを検索しやすいように並べ替えるインデックス構築がリアルタイムでできた。だから、2ちゃんねるに新しいスレッドが足されると、その瞬間にスレッドがすぐに検索可能になる。これは当時、まだグーグルも実用化できていない技術でした。世界に先駆けて作ったシステムだったんです。

今は、スケーラビリティ（拡張性）やさらなる高速化や多言語化を進めたセナの後継機となるオープンソースの「Groonga（グルンガ）」になっています。ブラジル社では他にもいろいろなプロジェクトをやっていますが、とにかく設立から現時点で18年、ひろゆきとは一緒に仕事をしています。

――2006年には、タワーレコードの「ナップスタージャパン」で日本初の音楽の定額制配信サービスも手がけていますよね。

竹中　はい。音楽ってテレビや街で、流れれば流れるほど「この曲っていいな」とか「これ聴いたことあるな」ってなりますよね。でも、今はJASRAC（日本音楽著作権協会／

ジャスラック）などが厳しく管理しているので、勝手に音楽を流せる状況ではありません。

でも、僕は街などのいろんな場所で音楽が流れなくなると、「この曲っていいな」と思う機会が失われると思っているんです。すると、商業的にも曲を買ってくれなくなる。これは音楽業界、産業、文化にとってマイナスです。だから「音楽が頭から離れないような構造をどうやれば作れるんだろう」と考えていました。

ＣＤは邦楽の場合、アルバムだとだいたい３０００円です。高校生にとって３０００円って、すごく高い買い物ですよね。だから、好きになれない曲が入っているＣＤは買いたくない。そういう意味もあって、タワーレコードでは売り場でいろんなＣＤを試聴できるようになっていたんです。だから、このシステムを自宅に持っていって試聴しまくり環境を作ればいいんじゃないかと思いました。それが、音楽の定額配信サービス「ナップスター」です。当時、タワレコでは「音楽ＯＳを日本人にインストールする」というコンセプトを軸に考えていて、ナップスターはそのツールのひとつでした。

——今では定額制は当たり前のようになっていますが、当時はなかなか賛成してくれる人も少なかったんじゃないですか？

竹中　はい。本当はタダでもやりたかったんです。例えば、30万人のナップスターの会員から月額2000円もらったとします。すると月に6億円。年間72億円です。72億円の売り上げは、当時のタワーレコードにとってたいした金額じゃなかった。だったら、2000円の月額ももらわないで試聴機をタダで配った方がいい。みんながタダでナップスターを使って、気に入ったCDを買いに行く。その方がCDは売れたはずなんです。でも、その頃は権利者がタダで配ることを許さなかった。

――今はだいぶ変わりましたよね。

竹中　そうですね。CDが売れなくなって、音楽を楽しみたいという人もなぜかストリーミングで聴く世の中になってしまいました。本当はCDやLPで聴いた方が気持ちがいいんですけどね。こう言うと、反論が出てくるのもわかってますけど。

――竹中さんは、インターネットの黎明期に、音楽や本など村井さんの言う〝上（文化）〟の部分をつくり続けてきたわけですね。

竹中　僕はたまたまエンジニアだったので、〝下（テクノロジー／インフラ）〟がわかったうえで〝上〟をやってきたということです。でも、成功すればいいお手本になるけれど、失敗すればパフォーマーに迷惑がかかるし、自身も後ろ指を指される。つらいこともたくさんありましたし、ドキドキしながらやっていたという感じです。

すべてオープンにする未来

——これだけいろいろなことをやってきた竹中さんは、新設される「デジタル庁」についてどう考えていますか？

竹中　「デジタル庁をどうしたらいいか」という観点でいうと、すごく簡単です。これまで村井さんと話してきた〝インターネットの考え方〟というものがあります。例えば「すべてオープンにする」「境がない」などです。でも、それはこれまで国がやってきたこととは真逆です。情報を規制し、壁を作り、機会格差が生まれた。それを崩すのがデジタル庁です。

——インフラの部分はすでにできているので、あとは人々の意識を変えるということですよね。

竹中　村井さんの言葉を借りれば〝人と地球のことだけ考えればいいのがインターネット〟です。日本という国で考えるのではなく「どうしたら世界中の人が幸せになるのか」「どうしたら地球全体が良くなるのか」。デジタル庁は日本の組織だけれども、国を超えて活動する組織にならなければいけない。財務省とか総務省などの個別のセクションは関係ありません。日本のマスコミは台湾のデジタル担当大臣オードリー・タン氏のことが大好きですけれども（笑）、あの人がよく言っている〝合理的なことを普通にやれる組織〟にすればいいんです。「台湾も日本も関係なく、すべてをオープンにして、みんなで頑張れば新型コロナも乗り越えられる」、そういうことを言っているわけです。

――そのためには、どうしたらいいんですか？

竹中　例えば、村井さんのような考えを持った人をトップに据える。「すべてをオープンにしてください」「テクノロジーを使って、日本人だけではなく地球上のすべての人が幸せになれることを考えてください」「幸せとは何かを考えてください」ということを率先して行ってもらう。名前だけの〝デジタル庁〟ではなく、本当の意味でのデジタル庁にならなければいけない。

——もし、竹中さんがデジタル庁のトップになったら、何をします？

竹中　デジタル庁の出張所を世界中に作ります。そして、さまざまな情報収集をして、そこで得たすべての情報をオープンにします。そして、みなさんが何かを知りたい時に、デジタル庁のサイトで調べれば、すべての情報が出てくるような仕組みを作りたい。みなさんに情報を提供して、何が本当か、どうすればいいのかを考えてもらいたいんです。すべての情報をオープンにして隠さず出す。それが、今の日本には足りなすぎます。

もちろん「何、青臭いことを言っているんだ」と言う方の気持ちも痛いほどわかります。今まで大組織の中で、僕自身がファクトに触れる難しさを嫌というほど味わってきましたから。でも、周りの人たちの気持ちがほんの少しオープン側に変化するだけでびっくりするほど「本当のこと」が伝わってくることも知っているので、その可能性をデジタル庁が促進してくれることに期待しています。

僕とひろゆきでやっている「未来検索ブラジル」という会社の名前の由来になっているのが、『未来世紀ブラジル』という映画（１９８５年）です。この映画は、情報剝奪省によって情報統制されている国で、「タトル」という犯罪者の名前がバグのせいで「バトル」

と印刷されてしまい、無関係なバトルが大変な目にあうなど、情報統制されすぎた国の怖さをテリー・ギリアム監督が描いている作品です。もし、情報がオープンな国であれば名前の間違いを指摘し訂正することができる。人間が間違いで死ぬことも減らせる。情報をオープンに提供することで、何が本当か、どうすればいいのかがわかります。行政の間違いに気づくこともできます。

――でも、行政はなかなか間違いを認めないのでは……。

竹中　だから、行政が間違いを認めるシステムとして、情報のオープン化が必要なんです。人間ですから間違えることはあるでしょう。そこで「間違えました」とステップバックできないと間違ったまま進んでしまいます。

それから、これはデジタル庁の役割ではないかもしれませんが、デジタル機器などを作る企業を金融機関などがもっと柔軟に支援しなければいけません。

例えば、僕が「今までにない斬新かつ安価なセキュリティの仕組みを思いつきました。しかし、そのためにはスマホメーカーと協力して試作機を作らなくてはいけません。実験するのに実機を１０００台くらい作りたいので、10億円貸してください」と銀行に頼んでも、きっと貸してくれませんよね。こうしたデジタル関係の新しいアイデアを持っている若い人は探すとたくさんいると思うんです。でも、日本だとなかなか融資や投資を受けにくい。その理由は「前例がない」とか「貸す側が評価できないから」「事業計画がへぼいから」ということが多い。そして、担当者がその分野を勉強することも、事業計画作成を手伝うこともない。結果として前世代の価値観が生む呪いが発展を拒む構造になっている。

台湾にある世界最大手の半導体メーカー「ＴＳＭＣ（台湾積体電路製造）」にある機械は１台２００億円ぐらいだと推測されています。装置さえ買えば追いつけるわけではないにしても、イチ企業がそのような規模の機材を何ラインも並べたうえで基礎研究を何年も休まず続けている。そういう状況を日本の金融機関の人や行政、政治の人はあまりリアルに感じていないと思います。もしかしたら、もう追いつけないと諦めているんでしょうか。デジタルに関する新しいアイデアを持っている若い起業家が機会を得ることさえなかなかできないとなると、日本はどんどん取り残されていきます。まあ、これは経済産業省あたりがやるべきことですね。

ですから、僕は基本的にプライバシーと保安上脅威となり得る情報以外のすべてをオープンにするというのが何よりも重要だと思っています。そして、このことを「何を言ってるんだ」と思う人が多いと、日本の未来は暗いと思います。しかし、「やっぱり、そうだよね」という方向に向かえるならば、日本はまだまだ希望に満ちた国になると思っています。特にインターネット後の世代の人々は皮膚感覚でオープンという概念の重要さをわかっていると信じています。

〝どうしたら世界中の人が幸せになれるのか〟〝どうしたら地球は良くなるのか〟、それをすべての人で考える。それがインターネットの、デジタル社会の理想であり、インターネットで初めて整えることのできた器ですから。

　思い返してみれば「命令通りに動くこと」が中学時代の自分にとってのコンピュータの楽しさの主要な部分だった。

　音を出すのも、絵を描くのも、アニメーションを表示するのも例外なく命令の連続で、上手く意図通りに動作するコードが書けるとうれしい。その動作が速いと、もっとうれしい。ただそれだけだった。

　前掲のインタビューでは、高校の頃の余暇はバンド活動で過ごしたと話したけれど、その時にコンピュータについてどう思っていたかをひと言で言うと「飽きた」だと思う。この気分は大学に入って、コンピュータサークルで同級生からの「何で高校時代にコンピュータを触ってなかったの？」という質問に対して「いじるのがだるかったし、今も何か重い」と話して、初めて言語化された。

　命令通りに高速に動作するだけでは飽きてしまっていた。いや、コンピュータが自分の鏡と化して「何をするにもお前の言う通りなんだから、全部お前の責任なんだよ」と言われている感じがしてどうにも重い、というのがもっと正確な自分の心持ちだったように思われる。

一方で、コンピュータで自分が可能だと思ったことは全部どのように書けばいいかわかったけれど、当時も今もコンピュータでできないことはたくさんあるし、「応用できる範囲が狭いのをどうしたらいいのか」という独特の負担がやはり重くて、悩むというか、引くというか、「コンピュータは生活のお金を稼ぐための単なるツール」だと考えていた記憶がある。二重の重さがあったのだ。同じ質の悩みを持っているエンジニアも多いのではないだろうか。これは、よく言われる「大人になってゲームを楽しめなくなった」という話と根は同じなのではないかとも思う。

しかし、複数のコンピュータがつながることでそれは別質の何かに変質した。その萌芽は日本では1993年、WWWが研究者の間で話題になっていた時に、CGI（Common Gateway Interface）という仕組みが徐々に知られるようになり、いわゆる「足跡」ページが流行した。今でいうウェブフォームである。

フォームに何かを書けるということは、そこに実社会の住所も書けるということで、確かアメリカだったと思うが「フォームにあなたの住所を書いてくれれば、そこにタダでシールを送りますよ（これって面白いでしょ！）」というページができた。モザイクブラウザ（Mosaic）が米カリフォルニア大学ロサンゼルス校（UCLA）との権利関係でもめて、何だかんだでネットスケイプブラウザ（Netscape）が生まれた頃のことだった記憶がある。

このフォームにSFCの住所を書いてみたら、数週間で僕の手元にちゃんとシールが届いたのである。今となっては日常的すぎて取るに足らないことに感じるかもしれないが、当時のこの体験は、ネット（フォーム）と物理（郵便）が本当につながっているという自分には衝撃的な体験だった。

つまり、原理的には自分でウェブ上にフォームを設置して、ユーザーが入力してきた住所に（自力で一生懸命）何か送れば、それは実サービスが自力運営できるのだということが見えた瞬間だった。

その体験から一カ月も置かずに決済付きのTシャツの販売サイトがアメリカでできたというニュースが流れ、やはりフォームで商品を選んで住所を入力し（ワイヤーで送金という大変な）決済をすれば届く、という体験をした。

リアル社会にコードが作用する様子が見えたのである。言い換えれば、自分が自在に制御できるものが実世界とつながった。それはシールやTシャツといった大したことのないものだったが、そこからコンピュータは自分にとっては世界につながる「端末」となった。

制限が大きく、稼ぐために我慢して使うものではなく、大袈裟だが指先で世界を操るこの上ない道具となったのである。インターネットが生まれた時代にはこのようなチャンスに気づいた人たちが世界中でたくさんいて、それはグーグルやアマゾンへとつながっていき、現在の我々の生活のインフラになっているのだが、重要な点は、どんな時代のどんなエンジニアでも「世界をいじれることに気づく時」が一度は訪れるということなのだ。

この30年、インターネットが生まれ、インフラとして機能し始めた瞬間から人類がそれを認知し、便利だと感じ、なくてはならないものになればなるほど、エンジニアの感覚でダイレクトに社会にかかわれる場所や機会がすごい勢いで拡がっていて、今も続いているということなのだ。

指先で世界に影響を与えられる可能性を信じて

2000年あたりの自分に起こった実例をひとつ示そう。「音楽著作権管理業務とはどのようなワークフローなのか」「手作業をどうしたらコンピュータに置き換えられるだろうか」という課題をメディア・アーティスト協会（MAA）という団体の勉強会を通じて得た。MAAはアーティストが自分で勉強して社会問題を解決するための団体で、音楽、漫画、ゲーム、CGなど幅広いジャンルの作家が参加していた。テーマのひとつに、当時、事実上、JASRACの独占状態だった音楽著作権市場に「競争原理を持ち込むためにどうすれば良いか」があり、考える過程で「管理業務の現代化」を考える必要があった。

坂本龍一さんを何かと手伝っていた自分は事務局機能の一部を担って、勉強会の会場アレンジなどの実務を粛々とやっていたのだが、「圧縮音源(MP3)」とはどのような概念で、実際にはどんな技術が使われていて、どのような作業を経て生成されるのか」が自分にしか説明できないため「事務局なのに変だなぁ」と思いながら自分を講師として勉強会を催し、「デジタルコサイン変換(DCT)をエンジニアじゃない人たちにどう伝えればいいんだ」みたいなことに腐心したのを憶えている。

話は「音楽が圧縮できるとどうなるか」ということに及ぶわけで「ハードディスクにたくさん入ります」「インターネットで流す負担が減ります」「だからナップスター(Napster)が大流行するためにはMP3という圧縮の仕組みはどうしても必要だったんです」という流れになった。

つまり技術が発達して、効率的に圧縮された音楽がネット上を駆け巡るようになっているという現状を受け入れるとすると、大雑把に言えば、「悪用を防ぐにはどうすればいいだろうか」という主題の設定の仕方と「その流通は防げないとしてどう管理すると作る側にメリットがあるだろうか」というふたつの考え方に帰着する。

もともと音楽著作権管理の考え方は、流通を促進し生産者に最大のメリットを与えるためのものなので「モダンな著作権管理システム」さえ考えて作れば、2000年あたりに蔓延していた「海賊版で産業が潰されてしまうという危機感は払拭できるよね」ということになる。なんとプログラミング知識が直接その払拭の役に立つのだ。そしてここまで考えが進めば、著作権法で民間が管理事業に参入できることをうたえば条件は整うのだ。その後は著作権法を変えるプロセスに進んだわけだが、その詳細はこの本のテーマから離れるので割愛する。

要するに「モダンな著作権管理システム」を考えれば、ひとつの産業が創成される場面に立ち合うことができた。こういう大きな機会はあまりないかもしれないが「人やお金が流れるところに技術を使って影響を及ぼす」という抽象的な言い方で、その規模の大小にかかわらず「エンジニアの考えがダイレクトに社会と連動する面白み」「指先で世界に影響を与えられる可能性」が伝わると信じている。それが「コードで世界を良くできる」が意味するところだ。

デジタル庁という、またとない機会

2020年代だと、機械学習や暗号資産、量子コンピューティング、遺伝子技術を使った創薬などの分野で今後の社会のあり方に大きな影響を及ぼす機会がいくつもあるはずだ。もうひとつ。法律を変えるにあたって、法律家や官僚の方々の協力を得た経験から改めて気づいたことがある。どんな分野の専門家でも「職能と社会とのつながりがどのようなものなのか」それぞれの方が自然に理解している。

法律家は条文を書き起こすこともできるし、既存条文の変更の影響を考えることだってできる。条文を実際に通すノウハウは官庁内に蓄積されている。

建築家や俳優のような職業だって例外ではない。社会を巨大なシステムだと捉えたときに、このような専門家はコンピュータやネットにおけるコードを書いたり変更したりする行為と質的には何ら変わらない活動を行なっている。

ネットどころか、コンピュータが生まれる遥か以前からこの活動は続いている。文明が生まれた時から社会はシステムとして動作し続けていて、我々が社会科で習うような職業はすべてこの巨大なシステムの一部の機能を担っている。インターネット黎明期の僕は「前人未到」に挑戦することに夢中になって、こういう当たり前のことに気づくことができていなかった。コンピュータ業界がまだ未熟だったことも理由なのかもしれない。一方で「全存在をファイルとみなす」というユニックスの哲学や「メモリ使用量をビット単位で減らす」といった微細な技術や「コードを独占せず公開することが善」のようなオープンな考え方の影響で、僕の目の前でまったく新しい世界が数十年で組み上がっていったような実感がある。村井純さんたちの手によって、考えられ得る限り理想に近い世界を創ろうと努力され、実際に生まれ、大切に育てられてきたのだ。

一般的にもその斬新さや日常からの遊離感のせいか、デジタルという概念やインターネットはいまだに特別扱いされることも多く、本来ならあらゆるものの下部構造として入り込むはずの「デジタル」は、「デジタル庁」という、行政すべてを横断できる大きな枠組みとなっている。このことは「あらゆる仕組みがインターネットやデジタル技術の恩恵を普遍的に受けられる」またとない機会なのだ。

社会基盤にデジタル技術が入り込めば入り込むほど、社会が理屈に合う力を構造的に得る。なにも政府を打倒する「アラブの春」のような変化ばかりが革命ではない。気がつかないうちに仕組みが変わっているのも革命なのだ。

あとがき　竹中直純

村井（純）さんとは27年くらい続く関係で、最初にどこで会ったのかはもはや思い出せないのだが、SFCメディアセンターでフルタイムで働いていた2年の間には時々会議で会う以外は、コンサルタント（学生が互助的に学生を指導する）の学生から「村井さんに言われたコンパイルが通りません」といった相談をされたりする、どちらかというと間接的なすごい人という存在だった。

その当時からWIDEではログインネームで互いを呼ぶという習慣があって、村井さんは「jun（じゅん）」と呼ばれていたし、WIDEに引き入れられた僕は「nt（えぬてぃ）」と呼ばれていた。当時、最初に「nt」と呼ばれた時には随分と気恥ずかしかった一方で、あのすごい村井さんを「jun」と呼び捨てにしてよいことに畏(おそ)れおののいたことを憶えている。

その後、2020年春に村井さんのSFCでの最後の授業があると聞きつけて参加した時に質疑応答があり、村井さんが「MJ（えむじぇー）」と呼ばれていることに気がついた。ログインネームは変わらず「jun」のままのはずなのに呼び名が変わっている。

本書にあるように、原始インターネットの時代から随分と時間が進んで、学生にとっては特に意識しなければインターネットは透明になっている。そんな時代でも、村井さんが学生に「MJ」と呼ばれていることで、何か大切なことに気がついた気がした。

村井さんにとっておそらくいちばん大事なのは人と人がつながることで、人との距離を縮めるためなら名前はむしろ単なる記号の方が良いし、より良い名前があればそれでも全然OKという考えを実践している現場を改めて目撃しているのだ。確かにファーストネームと同じ「jun」より「MJ」の方が学生は呼びやすそうだなと思いながら授業を聞いていた。

実はこの最後の貴重な授業に気づくことができたのは、その半年以上前に、坂本龍一さんから連絡をもらったことがきっかけだった。「村井さん、そろそろ定年じゃなかったたっけ？　一緒に記念品を送ろうよ」という連絡で、実際に「退職するタイミングはいつ」で「謝恩会はここで」みたいな段取りが始まり、村井さんの周辺イベントにやたらと詳しくなった。そのおかげで授業に参加できた。

新型コロナ禍で退職に伴うさまざまなイベントは残念ながら延期・中止となったが「退職して授業がなくなった村井さんは今までよりも時間があるかもしれない」「今なら一緒に本を出そうというオファーを受けてくださるかもしれない」と思ったのも坂本さんのおかげと言える。

僕は生来ズボラな性格なので、村井さんと坂本さんに背中を押されてできたことがたくさんあるにもかかわらず、あまり記録に残っていない。それを村井さんとの対話で、村井さんの視点も含めて一度棚卸しできたことは、とても有難い機会をいただけたと感謝している。

そして、今回、村井さんとまとまって話す機会を得て思い出したのは、僕がSFCから離れた後、数年ごとに村井さんから連絡をもらって話す、その時の様子である。僕としては連絡があれば、最初は上官と二等兵みたいな感じで「言われたことは全部やらなきゃ」と思って一生懸命聞いているのだが、大抵の場合、話している途中で、これを単にやってくれという話ではなく「お前どう思う?」という流れになる。

本書を読んでいただければわかると思うが、村井さんは話し始めの段階から考えがまとまっていて、それを言葉にするのが（僕が言うのも変だが）上手い。なので、いつも僕は村井さんが言っていることは基本的には吟味されていて、正しくて、単に手が足りないとか、今はない機能を僕が補えばいいと思って聞き始める。しかし、村井さんは理路整然としながらも常に悩んでいて、別アングルの話や別種の例えを僕がしたりすると、良い意味で全体を更新していく。根本的な変更でも全然構わず内容が的確に変わっていく。これはちょっと他にはない感覚で、僕にとっては快感だ。

インターネット上で策定されている様々な仕組みはこのようなプロセスで議論を尽くした上で実装され、実際の役に立っているものばかりで、そういう意味でも村井さんの思考プロセスはインターネット的であるといえる。

国家戦略を考える時でも変わらないことは容易に想像できる。本書の対談時には今までになく長きにわたってこの感覚を楽しむことができた。少しでもその楽しさが読者に伝わると幸いである。

謝辞

この本は、たまたまひろゆき（西村博之）窓口の「未来検索ブラジル社」の代表である僕が、週刊プレイボーイ（集英社）のひろゆきの担当者である村上隆保さんに、何年にも渡って挨拶さえしたことがないと気がつき、時間を作ってもらって挨拶がてら雑談したのがきっかけでできたものである。長期にわたる取材と散らかった話題を取りまとめてくださったのは本当に大変だったと思います。ありがとうございました。

２０２１年６月

村井 純（むらい じゅん）

計算機科学者、工学博士。慶應義塾大学教授。一九五五年、東京都生まれ。「日本のインターネットの父」と呼ばれる。二〇一三年、世界的なインターネットの発展・進歩に貢献した人物が選ばれる「インターネットの殿堂」入りを果たす。著書に『インターネット』（岩波新書）、『インターネットの基礎』（角川学芸出版）など。

竹中直純（たけなか なおずみ）

実業家。一九六八年、福井県生まれ。「ディジティ・ミニミ」代表。タワーレコードCTOなどを歴任。坂本龍一のライブツアー、村上龍の小説に制作協力し、以来、様々な「ネット化」を続けている。

DX（ディーエックス）時代（じだい）に考（かん）えるシン・インターネット

インターナショナル新書〇八〇

二〇二一年八月一一日 第一刷発行

著者 村井（むらい） 純（じゅん）／竹中直純（たけなかなおずみ）

発行者 岩瀬 朗

発行所 株式会社 集英社インターナショナル
〒一〇一-〇〇六四 東京都千代田区神田猿楽町一-五-一八
電話 〇三-五二一一-二六三〇

発売所 株式会社 集英社
〒一〇一-八〇五〇 東京都千代田区一ツ橋二-五-一〇
電話 〇三-三二三〇-六〇八〇（読者係）
〇三-三二三〇-六三九三（販売部）書店専用

装幀 アルビレオ

印刷所 大日本印刷株式会社

製本所 加藤製本株式会社

ISBN978-4-7976-8080-5 C0204

インターナショナル新書

077

アルキメデスの驚異の発想法
数学と軍事

上垣 渉

数学や物理学の理論を「軍事兵器」に活かす実現力と、天秤などのような機械学の知識を「数学」の理論へ活かす応用力を併せ持ったアルキメデス。その生涯を追いながら、豊かな発想力の根源に迫る。

078

カミュ伝

中条省平

コロナ禍において再び大きな話題を呼んだ『ペスト』の作者アルベール・カミュ。彼の波瀾に満ちた生涯と思想・哲学、『異邦人』などの代表作を徹底的に論じる。フランスを代表するノーベル賞作家の決定版評伝。

079

あなたを救う培養幹細胞治療

辻 晋作

次世代成長戦略のひとつとして実用化が促進され、身近な治療となりつつある再生医療。なかでも注目されているのが培養幹細胞治療だ。そのトップランナーが語る、再生医療の最前線と今後の展望。

081

しごと放浪記
自分の仕事を見つけたい人のために

森まゆみ

編集者、地域雑誌『谷根千』発行人、書き手として今に至るフリーランスの日々。仕事の一本道、脇道、遠回りの道。思いがけない妊娠、出産、育児を抱え女の人生は割り切れない。切り開いてきた「しごと放浪」の道を自伝的に語る。